하나님의 대사

大使

김하중 지음

규장

하나님의 대사로 사는 삶

나는 주중(駐中)대사로 임명된 다음, 나의 정체성을 대통령이 중국에 파견한 '특명전권대사'이자, 중국에 주재하는 '하나님의 대사'로 정립했다. 그래서 대사로 재임한 6년 반 동안 정부의 훈령을 받아 중국과의 우호협력 관계를 강화해나감과 동시에, "뜻이 하늘에서 이루어진 것 같이 땅에서도 이루어지기를"(마 6:10) 바라는 자세로 늘 하나님의 뜻을 구하고 찾고 물어 그 뜻에 순종해가고자 했다.

주중대사라는 직책을 통해 내가 있는 자리에서 하나님의 나라, 곧 하나님의 통치가 구현되기 위해 기도하며 순종했다. 나의 직분은 나와 내 가족의 유익을 위한 자리가 아니라 "하나님의 아름다운 덕(德)을 선포하는"(벧전 2:9) 자리여야 한다고 생각하여 두렵고 떨림으로 처신했다.

대사(大使)는 항상 본국(本國)의 훈령에 귀를 기울여야 한다. 그래서 나는 나라의 대사로서 매사에 본국 정부의 훈령을 충실히 수행하려고 노력했다. 그러면서도 하나님을 믿는 자로서 또 하나의 본국인 하나님나라의 최고통수권자인 하나님의 훈령에도 귀를 열어두었다. 이 책은 하나님의 대사로서 내가 하나님께 묻고 순종한 기도의 여정이다.

나는 대소사를 하나님께 묻고 순종했을 때에 사람의 힘으로는 할 수 없는 일들이 하나님의 역사로 이뤄지는 것을 수없이 목도했다. 하지만 이것은 나에게만 주시는 은혜가 아니라 구하고 찾고 두드리는 모든 '하나님의 사람들'(하나님의 대사들)에게 허락된 특권이다. 세상에 파송된 하나님의 대사의 능력은 다른 데 있는 것이 아니라 기도에 있다.

내가 지금까지 하나님나라와 하나님의 백성을 섬기기 위해 했던 기도 가운데 응답받지 못한 것이 없다. 그 나라와 그의 의(義)를 위해 기도할 때에 수많은 기적을 체험했다. 이 책은 그에 대한 생생한 보고서이다.

그런즉 너희는 먼저 그의 나라와 그의 의를 구하라 그리하면 이 모든 것을 너희에게 더하시리라 마 6:33

하나님과의 비밀한 경험들

나는 신실하신 어머니의 영향으로 고등학교 때까지 간간이 교회에 다니다가 1965년에 대학에 입학하면서 교회에 발을 끊었다. 그러다가 하나님의 은혜로 1994년 가을에 회심(回心)을 하고, 이듬해 초에 세례를 받게 되었다. 그 후 1998년부터 청와대 근무를 하며 점차 믿음이 깊어졌다. 2001년부터는 이전에는 전혀 알지 못했던 크고 비밀한 일들을 경험하면서 하나님을 직접 체험하고 알게 되었다. 그런 경험이 많아지고 깊어지면서부터 언젠가는 그것들을 책으로 써야 하지 않을까 하는 생각을 했다.

여호와의 인자하심과 인생에게 행하신 기적으로 말미암아 그를
찬송할지로다 시 107:8

2003년 겨울, 나는 기도하는 중에 하나님께 이렇게 여쭈었다.

'제가 하나님을 만나는 놀라운 체험들을 이렇게 많이 했는데, 저만 알기보다는 많은 사람들과 나누고 싶으니 책으로 써도 좋겠습니까?'

하나님께서는 글을 쓰라는 마음을 주셨다. 2004년 2월에는 기도를 많이 하시는 한 목사님이 내가 책에 관해 전혀 말하지 않았음에도 나를 위해 기도하시며 받은 말씀을 전해주셨다. 그것은 하나님께서 나를 어떻게 인도해오셨는지에 대한 글을 써야 할 때가 올 것인데, 그 책

을 통해 우리나라가 하나님으로부터 얼마나 큰 축복과 사랑을 받고 있는가에 대해서 밝혀야 한다는 것이었다. 나는 목사님이 전해주신 말씀을 통해 내가 하나님의 영광만을 위해 글을 써야 하며, 하나님께서 이 나라를 사랑하시기에 나를 택하신 것이지, 나만을 위한 것이 아니었음을 알게 되었다.

또한 이는 내가 2003년 겨울에 베이징에서 하나님께 받은 기도 내용을 확증해주는 것이었다. 이후 나는 줄곧 '그렇다면 글을 언제 쓸 수 있을까?' 하고 생각했지만 공무원으로 현직에 있었기 때문에 그런 책을 출간하는 일이 쉽지 않았다. 그러다 2009년 2월에 통일부 장관직에서 은퇴한 후, 글을 쓰기 위해 자료를 정리하기 시작했다. 그리고 책을 낼 출판사를 놓고 기도했다.

하나님의 응답을 기다리며

얼마 후 어느 자리에서 이전에 기독교 출판사 사장이었던 장로님 한 분을 만났다. 그 분과는 아주 재미있는 에피소드가 있었다.

나는 2004년 1월에 그 출판사를 통해 중국에 관한 책을 낸 적이 있다. 그 책은 사회과학 분야의 책이어서 나는 애당초 기독교 서적을 주로 출판하는 그곳에서 출간할 생각이 없었다. 그래서 그동안 나에게 직간접적으로 출간 제의를 해온 출판사와 국내 저명 출판사를 합쳐

열두 곳을 정한 뒤 하나님께 합당한 출판사를 골라주실 것을 기도했다. 그러던 중에 네 개 출판사만 남게 되었다. 나는 이 책이 사회과학 분야의 책이기는 하지만 혹시 하나님께서 기독교 출판사에서 내기를 원하실지도 모른다는 생각에, 남은 네 개 출판사와 함께 그 기독교 출판사도 포함시켜 기도했다.

그 기도는 8월 중순까지 계속되었는데 마지막으로 남은 것이 그 기독교 출판사였다. 그래서 당시 사장이었던 장로님과 출판본부장이 베이징으로 나를 만나러 오게 되었다. 나는 그 분들에게 책의 출간을 위하여 한 달 이상 기도했으며, 마지막에 하나님께서 그 출판사에서 출간하라는 감동을 주셨다고 이야기했다. 그리고 그곳에서 《떠오르는 용 중국》을 출간했다.

그런 과정을 이미 아시는 장로님이 이번에는 책을 어느 출판사에서 낼 거냐고 내게 물었다. 나는 기도하고 있는데 아직 하나님께서 말씀하지 않으시니 기다려야 할 것 같다고 대답했다. 그리고 나서 계속 글을 쓰려고 했지만 이상하게도 글이 써지지 않았다. 책상에 앉아서 아무리 글을 쓰려 해도 한 글자도 쓸 수가 없었다.

'아, 하나님께서 지금은 글 쓰는 것을 허락하지 않으시는구나!'

이런 마음이 들어 나는 글 쓰는 것을 중단하고, 대신 성경을 읽고 예배와 집회에 적극적으로 참가했다. 그러던 중 2009년 10월 4일에 집회 참석 차 한국을 방문한 미국의 유명한 중보기도 사역자와 저녁식사를 함께할 기회가 있었다. 그 자리에는 그 중보기도 사역자의 일행 네 명과 한국의 목사님 여덟 분, 장로님 몇 분과 그 외에 몇 명의 성도가 더 있었다.

식사가 끝나고 주최 측에서 그녀에게 참석자들을 위해 기도해달라고 요청했다. 그녀는 흔쾌히 동의했고, 내 차례가 되었을 때 내가 이제 책을 쓸 때가 되었으니, 내 생애에 하나님께서 어떻게 행하셨는지를 쓰라고 했다. 그러면서 내가 그것을 쓰지 않으면 다음 세대들이 하나님께서 우리나라에 행하신 일을 알지 못할 것이라고 기도해주었다.

이것은 내가 처음 기도하면서 받은 응답과 앞서 말한 목사님의 기도를 다시 한 번 확증하는 것이었다. 나는 그 중보기도 사역자에게 한 번도 책에 대한 이야기를 한 적이 없었다. 그런데 하나님께서 20여 명이나 되는 사람들 앞에서 분명하게 책을 쓰라고 명령하셨다.

나는 '드디어 책을 쓸 때가 되었구나' 생각하고 다시 준비를 했다. 그러면서 동시에 하나님께서 예비하신 출판사를 알려주실 것을 기도했다.

하나님께서 예비하신 일

그러던 2009년 10월 말 어느 날, 내 휴대전화에 문자 메시지가 들어왔다. 규장 출판사 여진구 대표라는 사람이 면담을 희망하는 메시지였다. 나는 규장이라는 출판사도 잘 모르고, 더욱이 여진구 대표는 들어본 적도 없는 이름이었다. 나는 무릎을 꿇고 기도하며 하나님께 여쭈었다.

'하나님, 저는 이 사람이 누군지 모릅니다. 출판사 사장이라고 하며 저를 만나자는데 혹시 제 책 출간 때문입니까?'

하나님께서 대답하셨다.

'그렇다.'

내가 다시 여쭈었다.

'그러면 제 책을 규장에서 내야 합니까?'

'그렇다.'

기도를 마친 뒤 나는 여 대표에게 11월 4일에 만나자고 문자 메시지를 보냈다.

그리고 그날 여 대표를 처음 만나게 되었다.

"처음 뵙겠습니다. 혹시 저한테 무슨 용무가 있으십니까?"

여 대표는 이렇게 말했다.

"사실 2005년 코스타 차이나(KOSTA China)에 참석하기 위해 베이징에 갔을 때, 어느 목사님으로부터 대사님에 대한 말씀을 들었습니다. 그때 깊은 감동을 받았는데, 이상하게도 하나님께서 그때부터 저에게 장로님을 위한 중보기도를 시키셨습니다. 그리고 최근에 누군가로부터 장로님이 책을 내실 것이라는 이야기를 들었습니다. 저는 그 책을 위해 기도했습니다. 그리고 며칠 전 기도를 하는 중에 하나님께서 저에게 '이제는 김 장로를 만나라'라고 하셨습니다. 제가 하나님께 '저는 김 장로님을 잘 모릅니다' 하고 말씀드렸더니 '네가 그를 만나면, 그가 그의 책을 네 출판사에서 내겠다고 할 것이다'라고 하셨습니다. 저는 그 말씀에 따라 장로님께 연락을 드린 것입니다. 저는 다른 것은 전혀 모릅니다."

나는 그 말을 듣고 웃으면서 말했다.

"맞습니다. 저도 대표께서 메시지를 주셔서 기도했더니, 하나님께서 제 책을 규장에서 내라고 말씀하셨습니다."

우리는 서로 크게 웃었다. 우리가 책을 내기로 합의한 것은 만난 지 채 10분도 안 되어서였다. 이미 하나님께서 오래 전에 계획하셨던 것이라 더 이상 말할 필요가 없었기 때문이다.

하나님께서는 지난 시간 동안 내게 참으로 많은 일을 시키시고, 놀라운 일을 보여주시면서 충분히 상황이 조성될 때까지 기다리게 하신 것 같다.

이 글은 나와 하나님 사이에 있었던 이야기의 극히 일부에 불과하다. 수많은 경험들 중에서 몇 가지만 골라야 하는 것이 내게는 큰 고통이었다. 그중 어떤 내용은 먼 훗날 알려지겠지만, 앞으로도 하나님께서 허락하신다면 계속 책을 낼 생각이다.

2001년에 나는 내 뒤에 나이아가라 폭포의 물줄기 같은 중보기도가 쌓여 있다는 말을 들었다. 그리고 지난 9년 동안 하나님의 대사로서 많은 사역을 하는 사이, 그 중보기도의 폭포가 몇 개는 더 생겼을 것이라고 확신한다.

이 책을 읽은 누군가가 "어떻게 이런 일이 있을 수가 있는가? 우연의 일치이든가 지어낸 이야기가 아닐까?"라며 이 책과 나를 비판할 수도 있다. 그러나 나는 하나님께서 나를 굳게 지켜주시리라 믿는다. 왜냐하면 이 책의 발간 자체가 하나님께서 명령하신 것이고, 또한 이런 일에 대비하여 모든 일을 기록하고, 증거를 남기고, 증인을 세우도록 하셨기 때문이다.

하나님의 대사로의 부르심

부활하신 후에 하늘과 땅의 모든 권세를 가지신 만왕(萬王)의 왕 우리 주 예수 그리스도께서는 우리를 열방에 자신의 대사로 파송하셨다.

예수께서 나아와 말씀하여 이르시되 하늘과 땅의 모든 권세를 내게 주셨으니 그러므로 너희는 가서 모든 민족을 제자로 삼아 아버지와 아들과 성령의 이름으로 세례를 베풀고 내가 너희에게 분부한 모든 것을 가르쳐 지키게 하라 마 28:18-20

크리스천인 우리 모두는 다 하나님의 대사이다. 하나님께서 우리의 일터와 삶의 자리에 하나님나라 대사로 파송하셨다. 회사원은 자신의 회사에, 교사는 자신의 학교에, 공무원은 자신의 부처(部處)에 하나님의 대사로 파송된 것이다.

에스더는 자신이 페르시아의 왕비가 된 까닭이 하나님의 백성을 구출하기 위해서라는 것을 모르드개를 통해 깨달았다.

> 네가 왕후의 자리를 얻은 것이 '이때'(하만이 유다 백성을 몰살시키려 하는 때)를 위함이 아닌지 누가 알겠느냐 에 4:14

느헤미야도 페르시아의 아닥사스다 왕의 총애를 받는 신하의 위치를 예루살렘으로 귀환한 이스라엘 백성을 섬기는 기회로 선용했다. 이처럼 하나님의 대사는 각자의 일터에서 하나님나라를 받들고 그 백성을 섬기기 위해 진력하는 것이 본분이다.

이 본분을 능력 있게 수행하기 위해 필요한 것이 바로 기도이다. 기도하되 자기 혼자 일방적으로 외치다 마는 혼적(魂的)인 기도가 아니라 '응답하시는 하나님'(시 118:21 ; 120:1)과 교통하는 쌍방통행의 영적(靈的)인 기도, 곧 '성령 안에서 하는 기도'를 드려야 한다.

> 모든 기도와 간구를 하되 항상 '성령 안에서 기도하고' 이를 위

하여 깨어 구하기를 항상 힘쓰며 여러 성도를 위하여 구하라

엡 6:18

이런 영적인 기도가 하나님나라를 이 땅에 구현시키며, 하나님나라 백성의 복지를 향상시킨다.

하나님의 대사는 자아실현과 자신의 정욕을 위해 기도하지 않는다. 나는 그동안 나와 내 가족의 세상적인 유익이나 내 출세와 영달을 위해 기도하기보다는 먼저 하나님나라와 그의 의(義)를 구하기 위한 기도를 하려고 노력했다. 그런 면에서 이 책은 하나님나라 진척과 하나님나라 백성을 섬기는 데에 하나님께서 어떻게 내 기도를 인도하셨고, 어떻게 신묘막측(神妙莫測)하게 응답하셨고, 어떻게 하나님의 때에 하나님의 사람들을 만나게 하셨는가에 대한 나의 소박한 '기도행전'(祈禱行傳)이기도 하다.

여기에 실린 모든 글은 하나님께서 나의 삶에 역사하신 이야기이다. 그래서 나는 이 책을 읽는 당신에게도 동일한 역사가 일어날 것이라 믿고, 그렇게 되기를 기도할 것이다. 많은 독자들이 하나님께서 살아계신 것을 확신하고, 영으로 기도하며, 무슨 일이든 하나님께 묻게 될 것으로 믿는다. 그리하여 어느 경우에도 걱정하거나 근심하지 않으며, 누구라도 용서하고 사랑하면서, 하나님만을 의지하며 담대하게 살아가는 성령의 사람이 되기를 소망한다.

또한 자신의 일터와 삶의 자리에서 하나님의 대사라는 거룩한 소명감을 가지고 하나님의 백성을 섬기는 자리에 서게 된다면 이 책은 그 소임을 다한 것이라 생각한다. 하나님께서 영으로 기도하는 하나님의 대사들을 우후죽순(雨後竹筍)처럼 일으켜주시기를 기원한다.

2010년 1월 9일 63회 생일 아침에

김하중

프롤로그

chapter 01
회심과 믿음의 시작 18

독실한 어머니의 늦둥이 막내 • 교회에 발을 끊다 • 아내의 회심 • 딸의 금식 협박 • 어머니의 성경책 • 첫 번째 신기한 경험 • 세례를 받다 • 기도와 술 사이에서 • 황장엽 망명 사건을 해결하다 • 중보기도의 놀라운 힘 • 청와대로 가다 • 깜빡 잊은 기도 • 내가 다 보고 있다 • 전화로 하늘의 언어를 시작하다 • 기도로 넘긴 위기 • 벽 좀 치지 마세요 • 두 발 모두 하나님께로 • 하나님 안의 형제 • 못 떠나시게 기도합니다

chapter 02
흔들리지 않는 믿음 52

세 번째 소원 • 10년 후를 대비한 기도 • 주중대사가 되다 • 중보기도로 이겨낸 환난 • 성령님이 시키신 기도 • 나에게 다 물어라 • 성령님이 팔을 들어 올리시다 • 명확하게 들리는 말씀 • 술을 토하다 • 내 안에서 말씀하시는 하나님

chapter 03
사랑과 담대함으로 얻은 승리 72

사스 전쟁 • 환상 속 총리의 눈물 • 한국인은 사스에 걸리지 않습니다 • 중국을 감동시키다 • 너는 그를 따로 만날 것이라 • 담대한 보고 • 사스가 진정되다 • 하나님의 계획 • 준비시키시는 하나님 • 천 명을 구하고 싶습니다 • 영사부 문을 닫다 • 대사관의 비상대기조 • 이상한 꿈 • 날라리 크리스천 구명하기 • 사형수의 회개 • 감옥에서 온 편지 • 하나님이 알려주신 방법 • 네 배로 주어라 • 생명을 살리는 사랑의 기도

chapter 04
중국에 사랑과 축복을 심다 118

중국 외교부의 모든 기록을 깨다 • 사랑의 기도로 살린 친구 • 기도하는 자가 주는 축복 • 정년을 연장시켜주십시오 • 사랑을 전하라 • 다재다능한 대사 • 하나님의 영광이 드러나다 • 중국인을 사랑합니다 • 사랑으로 일으킨 기업

chapter 05

기도하고 순종하는 자를 쓰시는 하나님 ······ 114

이제 그를 보내라 • 주님이 알고 계시군요 • 기도의 용사 미스 김 • 기도를 조금 한다 • 다른 곳으로 가라
• 준비된 자를 쓰시는 하나님 • 최고의 중국어 통역관 • 남북통일을 위해 19년간 기도하다 • 독수리처럼
지키다 • 기도 안 합니다 • 지친 자를 일으키시는 하나님 • 다 주어라 • 매일 300명 중보기도 • 기도하면
수치를 당하지 않는다

chapter 06

하나님의 대사로 살다 ······ 172

하나님의 마음으로 기도합니다 • 나라의 대사이자 하나님의 대사로 • 나의 영적인 못자리판 • 공안을 위
해 박수를 치다 • 쉼을 누릴 수 있었던 교회 • 사랑과 위로의 하나님 • 너무 힘이 듭니다 • 제 상황 그대
로입니다 • 아파트 교회 • 성전 구입의 기적 • 교회를 지키시는 하나님 • 사모가 기다린 기도문 • 신령파
가 된 목사님 • 난징으로 가라 • 모두 이루어주시다 • 천국은 침노하는 자의 것

chapter 07

순종으로 얻은 축복 ······ 218

진정한 축복 • 리더는 기도해야 한다 • 세상 사람과 구별된 삶 • 영(靈)의 기도를 하라 • 말씀에 순종하라
• 네 사위는 내가 결정할 것이라 • 말씀을 이루시는 하나님 • 청첩장과 축의금이 없는 결혼식 • 철저하신
하나님의 인도 • 그 아이가 네 며느리다 • 기네스북에 올라갈 며느리 • 가장 아름다운 결혼식 • 바나나 먹
여도 되겠습니까? • 믿음의 기도를 쌓으라

에필로그

감사의 말

chapter 01

회심과 믿음의 시작

나는 기도를 들으면서 울기 시작했다.
기도가 계속되면서 나의 눈물은 통곡이 되었다. 눈물과 콧물을 쏟으며,
목에서 올라오는 가래 비슷한 것을 뱉으며, 내 평생 처음으로 격렬하게 울었다.

독실한 어머니의 늦둥이 막내

나의 어머니는 구한말 양반가의 외동딸이셨다. 남편을 여의고 홀로
되신 외할머니가 믿는 예수님을 어머니도 믿게 되셨다. 그러다 어머
니는 믿지 않는 가정으로 시집을 오시게 되면서 드러내놓고 교회에
다니거나 신앙 생활을 하시지 못했다.

해방이 되고, 한국전쟁이 나고 얼마 후 아버지가 사업에 실패하여
집안이 완전히 기울게 되었다. 살림이 너무 어렵다보니 의지할 데가
없어진 어머니는 예수님을 다시 찾으셨고, 교회에 열심히 다니시면서
모든 것을 하나님께 의지하셨다.

어머니는 내 위로 5남매를 두시고 42세에 늦둥이인 나를 낳으셨다.
그래서인지 어머니는 형이나 누나들도 사랑하셨지만, 막내인 나를 유

독 사랑하셨다. 내가 공부를 안 하고 놀아도, 무슨 짓을 해도 어머니는 한 번도 나를 야단치지 않으셨다. 어머니가 나를 편애한다고 형이나 누나들이 불평할 정도였다.

어머니는 내가 대학에 다닐 때부터 새벽녘이면 내 방문 앞에 엎드리셔서 오랜 시간 기도하셨다. 가끔 새벽에 깨어 화장실에 가고 싶어도 밖에서 기도하시는 어머니께 죄송해서 기도가 끝날 때까지 기다릴 때가 많았다.

또 어머니는 식사 때가 되어 밥상 앞에서 기도를 시작하시면 가족들의 이름을 모두 부르며 기도를 하셨다. 그래서 기도가 끝나고 밥을 먹을 때면 항상 밥이 식어 있었다.

어머니는 돌아가시기 전까지 변변한 옷 한 벌이 없으셨다. 그러면서도 항상 불쌍한 사람들에게 없으면 없는 대로, 있으면 있는 대로 나누어주셨다. 나에게도 항상 사랑과 나눔을 강조하셨다.

"사람을 사랑해라. 그저 베풀면서 살아라."

나도 친구나 동료, 아는 사람들이 어려운 것을 보면 그냥 지나치질 못했다. 나에게 하나밖에 없는 것, 귀한 것도 다 주었기 때문에 주위 사람들은 우리 집이 아주 유복한 줄 알 정도였다. 결혼 후에 아내와 가장 많이 다툰 것도 그 문제였다. 젊은 시절 얼마 안 되는 공무원 월급에 아내가 항상 쩔쩔 매는 줄 알면서도 누가 어렵다고 하면 나는 그냥 볼 수가 없어 일단 주고 보았다.

그런 사랑의 마음, 긍휼의 마음은 어머니를 통해서 내게 흘러온 것이었다.

교회에 발을 끊다

나는 고등학교 때까지 가끔 교회에 나갔다. 당시는 무척 가난할 때여서 부활절이나 성탄절이 되면 교회에서 주는 맛있는 과자를 먹는 재미에 교회에 꼭 갔다. 또 그때는 유일하게 여학생을 만날 수 있는 곳이 교회이기도 했다. 물론 나는 수줍음이 많아서 여학생과 말도 제대로 못했지만 말이다. 나는 교회에 다니면서 성경 한 번 제대로 읽어본 적이 없었지만, 음악을 좋아해서 찬송은 많이 외우고 불렀다. 그러다 대학에 들어가고부터는 아예 교회에 발을 끊고 지냈다.

대학을 졸업하고 군대에 다녀온 다음, 1973년에 외무고시에 합격하여 외무부(현재 외교통상부)에 들어가게 되었다. 그리고 이듬해 봄에 아내와 결혼을 했다. 그때만 해도 처가는 독실한 불교 집안이었고, 아내도 물론 하나님을 믿지 않았다. 나는 결혼 전 이런 사실을 어머니께 조심스럽게 말씀드렸다.

"사귀는 사람이 하나님을 안 믿는데 괜찮을까요?"

어머니는 선뜻 대답하셨다.

"그런 것은 걱정하지 말고 데려오기만 해라."

어머니는 이미 작전이 있으신 듯 했다.

결혼 후 우리는 어머니가 계신 큰형님 댁과 가까운 곳에서 살게 되었는데, 주일이면 어머니가 우리 집에 오셔서 자고 있는 나는 놔두고 아내만 데리고 교회에 가셨다. 아내는 불교 집안에 태어나 자란 사람인데 시어머니가 가자고 하니 마지못해 가긴 갔는데 다녀오면 나한테 불평을 쏟아놓기 일쑤였다.

"어머님은 아들은 교회에 안 나가는데 가만 놔두시고, 왜 안 믿는 며느리만 데려가시냐고요!"

나는 그때마다 시어머니를 모시고 사는 것도 아니고, 일주일에 한 번이니까 이해하라며 아내를 설득하곤 했다.

당시 큰형님이 역촌동에 2층짜리 건물을 지어서 임대를 했는데 2층에는 개척교회가 들어와서 약 8년간 있었다. 임대료는 아주 형식적인 것이었다. 어머니는 매일 그 교회에서 살다시피 하시면서 항상 교회를 위해 기도하시며 성심성의껏 섬기셨다. 그때도 나는 여전히 교회에 나가지 않았다.

1976년 봄에 나는 뉴욕총영사관으로 해외 근무를 가게 되었다. 거기서 한인교회에 한두 번 나갔다. 그런데 교회에서 우리 부부에게 쏠는 지나친 관심에 부담을 느끼고 그마저 안 나가게 되었다. 그 후 서울로 돌아왔다가, 1982년 봄에 다시 인도대사관으로 발령을 받아 인도에서 3년 반을 근무한 다음, 다시 서울로 돌아왔다. 그때까지도 우리는 교회에 나가지 않았다.

아내의 회심

그러던 1986년 10월, 내가 중국 베이징(北京)으로 출장을 가게 되었다. 저녁에 일을 마치고 호텔에서 아내에게 안부 전화를 했다. 그런데 아내가 흥분된 목소리로 말했다.

"여보! 나 교회에 갔다 왔어요."

내가 놀라서 물었다.

"아니, 당신이 어떻게 교회에 다 갔어요?"

"친한 친구가 가자고 해서요."

"그래요?"

"그런데 여보, 나 거기서 하나님을 만난 거 같아요."

"뭐라고? 그게 무슨 말이에요?"

아내가 교회에서 예배를 드리는 중에 하나님을 만났다는 것이었다. 나는 아내가 한순간의 흥분된 감정을 하나님을 만난 것으로 착각한 것이라고 생각했다. 그런데 일주일간의 출장을 마치고 돌아와 만난 아내는 완전히 다른 사람이 되어 있었다. 계속 하나님 얘기만 하고 하나님만 찾았다.

'저 사람이 별안간 왜 저러나….'

나는 아내의 상태가 의아하면서도 나쁜 일은 아닌 거 같아 교회에 간다고 하면 차로 데려다주곤 했다. 아내는 이후 아이들 3남매도 데리고 가기 시작했다. 나는 아내와 애들을 교회에 데려다주고 집에 가거나 다른 일을 하다가 예배가 마칠 때쯤 가서 다시 데리고 왔다. 몇 번은 교회에 따라 들어가 설교를 듣기도 했다.

아내와 아이들이 교회에 나간다는 소식을 듣고 가장 기뻐하신 분은 물론 어머니셨다. 어머니는 아내를 위해 긴 세월 눈물로 기도하셨고, 하나님께서는 그 기도를 들으시고 시어머니 손에 끌려가다시피 교회에 다니던 아내를 변화시키셨다.

이후 어머니의 눈물의 기도를 아내가 이어받아 8년 동안이나 나를 주님 앞으로 인도하기 위해서 끊임없이 기도했다.

딸의 금식 협박

나는 1988년 말에 일본으로 가서 근무를 하다가 1992년 2월에 베이징 무역대표부 근무를 위해 중국으로 갔다. 아내는 이때부터 작정을 하고 나의 변화를 위해 많은 사람들과 중보기도를 하기 시작했다. 나는 그런 사실을 알면서도 모른 척했다. 내가 교회나 기도에 조금이라도 관심을 보이면 아내가 더 적극적으로 교회 출석을 요구하지 않을까 해서였다.

그러던 1994년 가을 어느 날, 베이징대학(北京大學) 2학년에 다니던 딸이 오더니 내게 할 이야기가 있다고 했다. 늘 일이 바빠서 딸과 대화할 시간이 거의 없었는데 할 얘기가 있다고 하니, 무엇이든 들어주고 싶은 마음이 들었다.

"그래, 뭔데? 말해봐."

"아빠! 이제 예수님 믿고 교회 나가셔야 돼요."

딸의 나이에 맞게 좋아하는 사람이나 진로에 대한 이야기, 혹은 사고 싶은 물건을 부탁할 줄 알았는데 딸은 엉뚱한 말을 했다. 나는 난데없는 딸의 말에 시큰둥하게 대답했다.

"왜?"

"아빠가 교회에 다시 나가실 때까지 제가 금식을 하겠어요."

"그래, 하려면 해라!"

나는 농담인 줄 알고 대수롭지 않게 생각했다. 그런데 기숙사 생활을 하고 있어서 금요일 오후에 집에 와서 일요일 저녁에 학교로 돌아가는 딸이 정말 3일 동안 한 끼도 먹지 않는 것이었다. 거기다 일부러 내가 밥을 먹을 때면 내 앞에 앉아 있기까지 했다.

"너는 왜 안 먹니?"

"저는 금식하는 중이에요. 어서 드세요."

그렇게 딸이 금식으로 나를 협박하며 3주쯤 지났을 때였다.

'사랑하는 딸이 나 때문에 이렇게까지 하는데… 그래, 한번 가자.'

나는 딸에게 말했다.

"교회에 갈 테니 이제 금식하지 마라."

얼마 후 아내와 아이들이 다니던 베이징21세기교회에서 부흥집회가 열렸다. 나는 딸과의 약속도 있고 해서 마지못해 가게 되었다. 그런데 '한 번만' 하고 간 그 집회에서 나는 큰 은혜를 받았다. 참으로 오랜만에 찬양을 듣는데 뭔지 모르게 마음이 평안해지고, 서울에서 오셨다는 목사님의 설교 말씀 한 마디 한 마디가 내 마음을 찔렀다.

'내가 정말 죄인이구나. 그런데 하나님이 나 같은 죄인에게 이런 복을 주시다니… 참 감사하다!'

그러면서 '아! 이제는 진짜 하나님을 믿어야 되겠구나!' 생각하게 되었다. 하지만 한편으로는 두려움이 밀려왔다.

'앞으로 내가 하고 싶은 일을 하려면 술도 마시고, 거짓말도 해야 하는데 하나님을 믿으면 아무것도 못하는 것 아닌가, 내 꿈을 이루지 못하는 것 아닌가?'

그러나 이미 교회에 가지 않으면 안 되겠다는 생각이 내 마음에 크게 자리 잡기 시작했다.

어머니의 성경책

1994년 12월 11일이었다. 나는 출장 중이던 중국 허난성(河南省) 뤄양(洛陽)에서 중국 관리들과 저녁을 먹다가 큰형님으로부터 온 전화를 받았다.

"어머니가 쓰러지셨는데 매우 위독하시다. 네가 서둘러 오더라도 임종을 볼 수는 없을 것 같다."

당시 뤄양에는 비행장이 없어서 다음 날 새벽에 택시를 타고 인근 도시로 가서 비행기를 타고 베이징을 경유해 서울에 도착했다. 병원에 도착해보니 어머니는 의식은 없으시지만 살아계셨다. 가족들은 어머니가 막내아들인 나를 기다리신 것 같다며 내게 어머니 귀에 대고 말을 해보라고 했다. 나는 어머니의 귀에 대고 크게 말했다.

"어머니, 하중이 왔어요."

그 순간 어머니가 내게 무언가 말씀하시려는 듯 계속 입술과 혀를 움직이셨다. 내가 어머니의 차가운 손과 발을 주무르면서 말했다.

"어머니, 이제 제가 왔으니 아무 걱정 마세요."

그러자 어머니의 눈에서 눈물이 주르륵 흘러내렸다.

몇 시간 후 어머니는 평안히 소천(召天)하셨다. 나를 위해 날마다 새벽 제단을 쌓으신 어머니는 내가 겨우 믿음의 첫발을 내디뎠을 때 내

곁을 떠나셨다. 어머니는 내가 교회에 다니지 않을 때도 자주 이렇게 말씀하셨다.

"나는 네가 언젠가 다시 예수를 믿으면 누구보다도 '크게' 믿을 것을 안다. 그래서 너에 대해서는 아무 걱정도 안 한다."

나는 그 말씀을 떠올리며 어머니의 관을 붙들고 통곡했다.

장례식을 마치고 돌아와서 어머니의 유품(遺品)을 정리하면서 나는 어머니가 평생 쓰시던 성경책과 찬송가를 붙잡고 또 통곡을 했다. 그리고 가족들에게 다른 것은 다 필요없고, 어머니의 성경책과 찬송가를 내가 갖겠다고 말했다. 얼마나 많이 보셨는지 너덜너덜해진 성경책에는 군데군데 빨간 줄이 쳐져 있었고, 책갈피에는 연필로 다음과 같은 다짐의 글이 써 있었다.

"하나님 아버지 감사합니다. 저의 뜻대로 살지 않고 하나님 말씀대로 살게 하여 주시옵소서. 아멘!"

"다니엘 선지자의 믿음을 본받으라."

"너는 하나님과 화목하고 평안하라. 그리하면 복이 네게 임하리라."(욥 22:21)

나는 베이징으로 돌아가는 비행기 안에서 어머니의 성경책과 찬송가에 손을 얹고 다짐했다.

'어머니, 이제 정말 예수 잘 믿겠습니다. 어머니께서 생전에 말씀하신 대로 예수를 믿어도 아주 크게 믿겠습니다.'

이후로 나는 어디를 가든지 어머니의 성경책과 찬송가를 꼭 가져간다. 내 곁에 두고 어머니의 사랑과 체취를 늘 느끼고 싶기 때문이다.

첫 번째 신기한 경험

1994년 당시 아내와 아이들이 다니던 베이징21세기교회는 성도가 300명가량 되는 중국에 있는 한인교회 중에서는 비교적 규모가 큰 교회였다. 그곳에서 아내는 많은 하나님의 사람들을 만날 수 있었는데, 그중에서도 이광자 권사님(현재 베이징21세기교회 전도사)은 교회의 가장 큰 지킴이이자 기도의 용사였다. 이 권사님은 40일 금식을 몇 번씩 하신 분이다. 예순이 넘은 가냘픈 여인이 그렇게 금식을 많이 하는데도 기도할 때 손을 잡으면 어찌나 힘이 센지 꿈쩍도 할 수 없었다. 아무튼 권사님의 영적 파워는 대단했다.

그해 6월에 본부(외무부)에서 내가 아시아태평양국장(이하 아태국장)으로 내정되었으니 8월 말까지 서울에 들어올 준비를 하라는 연락이 비밀리에 왔다. 당시 나는 아직 예수를 믿지 않을 때였고, 이 권사님이 아내를 영적으로 이끌어주실 때였다. 하루는 권사님께서 아내에게 기도제목을 물어보셔서, 아내는 귀국하는 문제를 이야기했다.

"해외 나온 지 5년 반 정도 됐으니까 이번에 발령이 안 나면 고등학교 2학년 2학기가 되는 큰아들이라도 데리고 들어가야 되지 않을까 생각하고 있어요."

얼마 후 권사님은 아내에게 기도응답을 받았다고 하면서 이번에 못 가고 다음 해 1월에 갈 거라고 했다.

나는 아내에게서 그 말을 듣고 이미 내정이 되어 대기 중인데 무슨 말인가 싶었다. 그리고 외무부의 인사 발령은 보통 12월 중 발령이 나서 2월 말에 이동을 하게 되어 있었다. 1월 이동이라는 건 있을 수가 없었다. 이런 사정을 익히 아는 아내도 못 믿기는 마찬가지였다.

그런데 열흘쯤 뒤에 서울에서 연락이 왔다. 이번 가을에 귀국하기가 어렵게 되었으니 연말에 들어오도록 준비하라는 것이었다. 그 사이 내게는 많은 일들이 일어났다. 딸의 금식으로 30년 만에 교회에 다시 나가게 되었고, 사랑하는 어머니가 소천하셨다. 그리고 그해 12월 말에 갑자기 장관이 바뀌면서 또다시 내가 서울에 들어가는 것이 불투명해졌다. 그러던 중 1995년 1월 초 별안간 연락이 와서 아태국장으로 내정이 되었으니 1월 중순까지 본부에 귀임(서울로 돌아오라는 뜻)하라고 했다. 그때 인사 발령이 난 사람은 나 혼자였다.

권사님이 말씀하신 그대로였다. 나는 믿기지 않던 일이 실제로 벌어지니 놀라울 뿐이었다. 내가 이미 본부로부터 연락을 받고 준비하고 있었는데, 못 들어간다고 해서 놀랐고, 또 언제 들어가게 될 것이라는 것을 정확하게 말씀하신 것도 놀라웠다.

'참, 신기하다. 어떻게 이런 일이 있을 수 있을까? 하나님이 정말 이 권사님 같이 영적으로 깊은 분들한테는 미리 알려주시는구나.'

내가 다시 교회에 나가고 예수를 믿기 시작한 이후 처음으로 겪은 신기한 경험이었다.

세례를 받다

본부로 가게 되자 아내가 나에게 세례를 받고 떠나자고 했다.

"목사님이 당신 떠나기 전에 꼭 세례받고 가라고 하셨어요."

나는 교회에 다닌 지 몇 개월 되지 않았고, 아직 세례받을 준비도 안 되었다고 하며 거부했다. 그래도 아내는 세례를 꼭 받아야 한다고 강권하며, 내가 귀국 준비로 바쁘면 담임목사님과 교인 몇 명이 우리 집에까지 와서 세례를 주겠다고 했다는 말을 전했다. 나는 목사님의 정성에 못 이겨 하는 수 없이 동의했다.

그렇게 베이징을 떠나기 3일 전인 1월 9일, 나는 집에서 세례를 받게 되었다. 그날은 마침 나의 47세 생일이기도 했다. 오후 6시쯤 박태윤 담임목사님 내외와 집사님 몇 분이 집으로 오셨다. 세례식이 시작되고 나는 거실에 무릎을 꿇고 앉아 있었다. 목사님이 내 머리에 물을 부으면서 손을 대는 순간 눈물이 폭포처럼 쏟아지며 뭔가 뜨거운 것이 내 몸 속으로 확 쏟아져 들어왔다. 그러고는 순간적으로 정신을 잃고 말았다. 한참 있다가 눈을 떴다.

'내가 지금 어디 와 있는 거지? 왜 무릎을 꿇고 있지?'

가만히 바닥을 내려다보니 우리 집 카펫이 깔려 있었다.

'여기는 우리 집인데… 어! 저기 집사람과 교회 분들이 앉아 있네. 아! 내가 조금 전에 세례를 받았지….'

그렇게 한동안 내가 자리에서 일어나지 않으니 모두 나를 지켜보고 있었다. 박 목사님도 수많은 사람들에게 세례를 주었지만 이런 일은 처음이신 듯 당황스런 표정이었다. 내게는 짧은 순간처럼 느껴졌지만 몇 분가량이 흐른 듯 했다. 그야말로 내 온몸으로 살아계신 하나님의 역사를 처음으로 체험한 시간이었다.

'아! 이게 성령세례라는 거구나. 이제부터는 진짜 하나님의 자녀답

게 살아야 되겠구나!'

나는 속으로 이런 결심을 하지 않을 수 없었다.

성령님의 강력한 임재가 온전히 임한 이 세례식을 시작으로 하나님께서는 내게 더 놀라운 일들을 예비해두고 계셨다.

기도와 술 사이에서

서울로 돌아온 나는 온누리교회에 다니기 시작했다. 한동안 나는 매일 울고 다녔다. 길을 가다가도 울고, 밥을 먹다가도 울고, 방에 있다가도 꿇어 엎드려서 울었다. 내가 지은 죄를 생각하면 하나님 앞에 부끄러워서 어떤 말도 할 수가 없고 눈물만 나왔다. 그동안 술 먹고 방탕하고, 거짓말하고, 남을 욕하고 비방했던 나는 정말 하나님 앞에 큰 죄인이었다. 나는 교회에 가서 예배드리면서 울고, 성찬식을 하면서도 펑펑 울었다. 나 같은 죄인을 위해 살이 찢기시고 피를 흘리신 예수님의 몸을 생각하면 울지 않을 수 없었다. 이미 이런 과정을 겪었던 집사람이 늘 손수건을 몇 장씩 가지고 다니며 내게 건네주었다.

그런 회개와 은혜의 시간을 보내는 동안에도 내 마음에는 큰 부담이 하나 있었다. 바로 술 문제였다. 인도에 있을 때는 너무 더워 술을 마실 수 없었다. 그 후 서울에 돌아와 오랜만에 친구들을 만나다보니 자연히 술을 마시게 되었다. 이후 다시 6년간 일본과 중국에 가서 근무하면서 술을 마시기는 했지만 한국처럼 폭음을 하는 경우는 드물었다. 그런데 다시 서울에 돌아오니, 또 술이 나를 기다리고 있었다.

거기다 술을 마시게 되면 꼭 2차까지 가서 노래를 하는데 나는 그게 너무 싫었다. 그래서 생각해낸 것이 폭탄주 마시기였다. 저녁식사 전과 식사 도중 아예 폭탄주를 몇 잔 마시면 모두 술이 취해서 2차를 가자는 말이 나오지 않았다. 나는 열심히 폭탄주를 만들어 돌린 후, 술자리를 일찍 마치고 집에 돌아와 술을 깨려고 한 시간 정도 운동을 했다.

하지만 그렇게 며칠이 지나고 술자리에 가게 되면 또 폭탄주를 마실 수밖에 없었다. 돌아와 운동하고 술을 깨는 생활의 반복이었다. 이런 일이 일주일에 적어도 한두 번은 생겼다.

'하나님, 어떻게 술 좀 안 마실 수 없겠습니까!'

그런데 이 나라가 술로 돌아가는 사회다보니 피할 수가 없었다. 나의 이러한 고민은 1997년에 외무부 장관 특별보좌관으로 자리를 옮기면서 조금씩 해소가 되었다. 그리고 이듬해 2월부터 청와대 근무를 시작하며 대통령을 보좌하다보니 자연히 술과 멀어지게 되었다. 하나님께서 내가 천천히 술을 끊을 수 있도록 처음에는 술을 싫어하는 장관 옆에 두셨다가, 나중에는 대통령 옆에서 근무하도록 하여 술을 거의 마실 수 없도록 해주셨다.

황장엽 망명 사건을 해결하다

1997년 2월에 당시 유종하 외무부 장관(현재 대한적십자사 총재)의 특별보좌관으로 자리를 옮긴 지 열흘 정도 지났을 때였다. 북한 김일성종합대학 총장을 지냈으며 당시 노동당 비서로 활동 중이던 황장엽이

2월 12일에 베이징 주재 한국총영사관에 망명을 요청하는 사건이 발생했다. 그날 오후 열린 정부의 비상대책회의에서 나를 중국에 파견하여 중국 측과 교섭을 진행하기로 결정했다. 워낙 사안이 커서 모든 것이 신속하게 진행되었다.

사건 다음 날 아침, 나는 '북한 권력 순위 20위인 황장엽 비서의 한국 송환'이라는 무거운 책임을 맡고 중국으로 떠나면서 많은 이들에게 중보기도를 부탁했다.

베이징에 도착한 날부터 주중대사관의 문봉주 정무공사(현재 온누리교회 부목사)와 함께 중국 측과의 교섭을 시작했다. 낮에는 중국 측과 교섭하거나 중국 친구들을 만나고, 저녁에는 호텔에 꿇어앉아 끊임없이 기도했다. 그런데 교섭 중이던 2월 19일에 당시 중국의 최고 권력자였던 덩샤오핑(鄧小平)이 사망했다. 본부에서 22일부터 25일까지 비밀리에 잠시 귀국하라는 지시가 내려왔다.

극비리에 입국한 나는 외무부 장관, 안기부장, 외교안보수석 등을 만났다. 그들은 한결같이 이 문제를 언제까지 해결할 수 있겠느냐고 물었다. 내가 대답했다.

"앞으로 4주에서 6주 사이에 해결할 수 있을 것 같습니다."

나는 하나님께 기도하면서 그 정도면 틀림없이 문제를 해결할 수 있다는 확신이 있었기 때문에 자신 있게 대답했다.

"그렇게 빨리 가능할까요?"

그들은 모두 나의 대답에 반신반의하며 한마디씩 했다.

"사안이 워낙 중대하여 몇 달이 걸릴 수도 있으니, 너무 서두르지 말고 신중히 하십시오."

"만일 김 특보가 정말로 그 기간 안에 문제를 해결할 수만 있다면 나라를 위해 큰 공헌을 하는 것입니다."

"제가 말씀드린 기간 안에 문제가 해결되도록 최선을 다하겠습니다."

2월 25일에 나는 협상을 위해 다시 중국으로 돌아왔다. 당시 많은 기자들이 나의 활동에 관심을 가지고 있었기 때문에 나는 그들의 눈에 띄지 않도록 일반 중국인들이 입는 허름한 점퍼 차림에 중국인 기사가 운전하는 자동차를 타고 다녔다.

그렇게 철저하게 보안을 유지하며 문 공사와 함께 중국 측과의 협상을 재개했다. 많은 진통을 겪으면서도 협상은 예상대로 진행이 되었고, 황장엽은 3월 18일에 필리핀으로 떠났다. 사건이 발생한 지 꼭 35일만이었고, 내가 정부의 주요 인사들에게 말한 지 4주가 채 안 되는 시점이었다.

중보기도의 놀라운 힘

나는 황장엽이 필리핀으로 떠난 다음 날, 중국 외교부의 탕자쉬엔 (唐家璇) 부부장이 주최한 만찬에 참석한 후 귀국했다. 공항에 내리자마자 곧장 청와대에서 열리는 안보조정회의에 참석하여 그동안의 협상 경과를 보고했다. 참석자들은 모두 나의 노고에 대하여 따뜻한 치하와 격려의 말을 해주었다.

35일 만에 내 사무실에 돌아와보니 책상 위에 편지가 수북이 쌓여 있었다. 동료나 후배들로부터 온 편지들이었다. 대부분 "황장엽 망명 사건이 잘 해결되도록 기도하고 있습니다"라는 내용이었다. 그중에서도 당시 내 방을 청소하는 여학생 사환이 쓴 편지가 눈에 띄었다.

"특보님이 베이징으로 떠나신 후 황장엽 망명 사건을 잘 해결하고 돌아오시도록 매일 하나님께 기도했습니다. 오늘 모든 임무를 성공적으로 마치고 돌아오셔서 진심으로 축하드립니다."

나는 편지를 읽으며 깊은 감동을 받았다.

'아, 이렇게 중요한 일을 내가 짧은 시간 내에 해결할 수 있었던 것은 이들의 중보기도 때문이구나. 하나님께서 그들의 기도를 들으시고 나를 도와주셨구나!'

2009년 2월 통일부 장관에서 은퇴하고 난 후, 어느 교회에 가서 기도에 대한 주제로 간증을 한 적이 있었다. 집회가 끝난 다음, 담임목사님과 다과를 나누는 자리에서 당시 이 사건을 함께 논의했던 정부의 주요 인사 중 한 분을 만나게 되었다. 그는 여러 사람들 앞에서 이렇게 말했다.

"저는 그때 김 장관께서 4주에서 6주면 사건을 종결시킬 수 있다고 해서 '정말 그렇게 할 수 있을까?' 속으로 생각했어요. 그런데 정말 황장엽 사건이 신속하게 해결되는 것을 보고, '어떻게 저렇게 빨리 해결이 됐을까?' 하는 의문을 계속 갖고 있었습니다. 그런데 오늘 간증을 들으면서 의문이 풀렸습니다. 저는 김 장관께서 그렇게 기도를 많이 하시는 줄 몰랐습니다."

역사적으로 황장엽 망명 사건은 한국과 중국, 중국과 북한 관계에 있어서 하나의 획을 긋는 중요한 사건이었다. 그리고 이 사건을 통해 나는 중보기도의 힘이 얼마나 중요한지를 깨닫게 되었다.

청와대로 가다

1997년 12월에 김대중 후보가 대통령에 당선되었다. 하루는 유종하 장관이 나를 불렀다.

"대통령 인수위 측에서 대통령 의전비서관 후보를 추천하라고 하는데 김 특보 생각은 어때요?"

"저는 청와대 근무는 별로 하고 싶지 않습니다. 그냥 해외에 나가서 일하고 싶습니다."

그래서 외무부에서 나를 제외한 세 명의 후보자 명단을 만들어 인수위로 보냈다. 얼마 후 인수위에서는 후보 중 한 사람을 선정해 의전비서관으로 발표를 했다. 그런데 한참 시간이 지나도 의전비서관으로 확정된 사람이 인수위로 가지 않아서 의아했다.

대통령 취임식을 며칠 앞둔 2월 20일 금요일, 인수위에서 급히 연락이 왔다. 김중권 당시 대통령 비서실장 내정자가 나를 찾는다는 것이었다. 나는 인수위로 가서 그를 만났다.

"의전비서관이 김 특보로 바뀌었으니 23일 월요일에 인수인계를 받으세요."

그렇게 해서 나는 청와대에 가서 업무 인계인수를 받았다. 그리고

24일 하루 동안 대통령 취임식 준비를 한 다음, 취임식 당일인 25일 아침 7시에 일산에 있는 김대중 대통령 사저에 가서 의전비서관으로서의 업무를 시작했다.

그런데 청와대 근무를 시작한 지 얼마 지나지 않아 나는 이상한 경험을 하기 시작했다. 어느 날 대통령을 만나기 위해 온 사람을 대기실로 안내하고 나오는데 갑자기 그 사람이 감옥에 갈 것 같다는 생각이 들었다. 그래서 옆에 있던 하태윤 국장(현재 주이라크대사)에게 "저 사람이 앞으로 감옥에 갈 것 같은데…"라고 말했다. 얼마 후 다른 사람이 와서 대기실로 안내를 하고 나오는데, 또 그런 생각이 들었다. 나는 또 하 국장에게 "저 사람도 감옥에 갈 것 같은데…"라고 했다. 하 국장은 왜 내가 자꾸 사람들이 감옥에 갈 것 같다고 하는지 의아해했다(그런데 놀랍게도 얼마 후에 그들은 정말로 감옥에 갔다).

그러던 어느 날, 내가 감옥에 가는 꿈을 꾸었다. 나는 너무 놀라 자다가 벌떡 일어나 무릎을 꿇고 기도를 했다. 그러나 불안한 마음을 누를 수가 없었다. 나는 자고 있는 아내를 깨워 새벽예배에 가자고 했다. 그때까지 나는 한 번도 새벽예배에 간 적이 없었다. 그러나 그날부터 청와대를 떠날 때까지 나는 매일 새벽에 교회에 가서 기도를 했다.

새벽 5시 30분쯤 집을 나서서 6시부터 새벽예배를 드리고 6시 50분쯤 교회를 나와서 청와대로 출근했다. 그런데 기도하는 시간이 너무 짧았다. 6시부터 찬양하고 설교를 듣고 나면 정작 기도하는 시간은 15분이나 20분밖에 되지 않았다. 그래서 나는 차를 타고 사무실에 가는 동안 자동차 안에서 기도했다.

'하나님, 이제 근무하러 갑니다. 지혜와 능력을 주셔서 맡은 바 업무를 잘 처리할 수 있도록 도와주십시오.'

나는 그날 중요한 업무와 만나는 사람 등 구체적인 기도제목으로 기도했다. 그 외에도 시간이 날 때마다 어디서든지 장소를 가리지 않고 하나님께 기도를 드렸다.

깜빡 잊은 기도

나는 대통령 의전비서관으로 일했기 때문에 하루에도 수없이 대통령 집무실을 드나들었다. 내가 집무실을 드나드는 용무는 크게 두 가지였다. 하나는 대통령을 면담할 주요 인사를 안내하거나, 대통령의 일정과 기타 업무에 관한 보고를 할 때였다.

나는 단순한 안내가 아닌 보고를 위해 집무실에 들어갈 때는 항상 먼저 기도를 했다. 보고 신청을 해놓고 기다리다 부속실에서 인터폰으로 연락이 오면, 그 자리에서 눈을 감고 기도를 했다. 어떤 때는 책상 앞에서 서류를 보다가, 또 어떤 때는 소파에 앉아서 신문을 보다가 연락이 오면 눈을 감고 기도를 하고 보고를 하러 갔다.

한번은 집무실에 들어가 대통령 앞에 섰는데, 깜박 잊고 기도를 하지 않은 것이 생각났다. 나는 순간 '어떻게 하나' 생각하다가 하늘의 하나님께 묵도하고 왕에게 대답한 느헤미야를 떠올리고 기도를 하고 와야겠다고 생각했다.

나는 대통령께 말씀드렸다.

"대통령님! 죄송합니다. 제가 뭘 잊어버렸습니다. 잠깐 나갔다 오겠습니다."

"갔다 오게."

나는 나오자마자 빈 방을 찾아 들어가서는 그곳에 서서 잠시 기도를 했다.

'하나님, 이제 보고를 하러 갑니다. 저에게 담대함을 주시고 지혜와 정직함을 허락해주십시오.'

이렇게 늘 기도했기 때문에 나는 대통령께서 언제 어떤 것을 물어보든 담대함을 가지고 정직하게 말할 수 있었다. 이후에도 몇 번 이런 일이 있자 한번은 대통령께서 웃으며 말씀하셨다.

"김 비서관! 자네는 뭘 자꾸 잊어버리나."

"죄송합니다."

당시 대통령께서는 내가 잊어버린 그것을 찾으러 가는 게 나쁜 것이 아니라고 생각하셨던 같다. 내가 정말 중요한 물건이나 서류를 잊어버렸던 것이라면 따끔하게 한마디 하셨을 것이다. 물론 내가 잊어버린 것이 기도였음을 아실 리는 없겠지만 영적으로 무언가를 느끼셨는지 별다른 말씀을 하지 않으셨다. 이렇게 나는 어떤 상황에서든지 먼저 하나님께 기도로 준비하기 시작했다.

> 왕이 내게 이르시되 그러면 네가 무엇을 원하느냐 하시기로 내가 곧 하늘의 하나님께 묵도하고 ㄴ 2:4

내가 다 보고 있다

새벽기도와 틈틈이 기도를 하는 중에 나는 한 가지 의문이 일었다.

'하나님께서 과연 내가 새벽예배 때 하는 기도, 자동차에서 하는 기도, 책상 앞에서 하는 기도, 소파에서 하는 기도, 대통령을 기다리게 하고 하는 기도를 다 들으실까? 진짜 다 들으실까?'

그러던 2001년 1월 어느 날, 아내가 딸의 선배인 전도사가 집에 놀러오기로 했는데 기도를 한번 받아보라고 권했다. 나는 주일이라도 예배가 끝나면 사무실로 가서 잡무를 처리하곤 했지만 그날은 가지 않고 집에서 기다렸다. 시간이 되어 김지연 전도사(현재 베이징 온누리교회 목사 사모)가 집에 왔다. 처음 보는 사람이었지만 나는 기도를 부탁했다.

"바쁘겠지만 나를 위해서 기도 한번 해주겠어요?"

"알겠습니다. 그렇게 하시지요."

나와 아내, 김 전도사는 기도를 하러 방으로 들어갔다.

"사모님, 티슈를 좀 주시겠어요?"

아내가 쓰던 티슈를 갖고 오니까, 김 전도사는 새것으로 한 통 달라고 했다. 잠시 후 아내가 새 티슈통을 가지고 왔다. 그러자 김 전도사가 상자를 확 뜯어 그 안에 있던 티슈를 전부 방바닥에 쏟는 것이 아닌가! 금세 하얀 티슈가 방에 수북이 쌓였다. 나는 매우 놀랐다.

"아니, 왜 이렇게 바닥에 화장지를 쏟아요?"

"조금 있으면 알게 되실 겁니다. 자! 그럼 기도하겠습니다."

그러고는 기도를 시작하자마자 놀라운 말들을 쏟아냈다.

"사랑하는 아들아! 나는 네가 얼마나 나를 사랑하는지 잘 안다. 나는 네가 나에게 기도하는 것을 다 보고 있다. 네가 새벽예배에 가서 나한테 기도하는 것을 보고 있고, 자동차에서 기도하는 것도 보고 있고, 책상 앞에 서서 기도하는 것도 보고 있으며, 소파에 앉아서 기도하는 것도 보고 있노라. 또 어떤 때는 네가 빈 방에 들어가 서서 기도하는 것도 내가 다 보고 있노라. 아들아, 나는 너를 정말로 사랑한다."

나는 기도를 들으면서 울기 시작했다. 기도가 계속되면서 나의 눈물은 통곡이 되었다. 눈물과 콧물을 쏟으며, 목에서 올라오는 가래 비슷한 것을 뱉으며, 내 평생 처음으로 격렬하게 울었다. 놀라운 것은 김 전도사도 나와 함께 '꺼억꺼억' 소리를 내며, 울면서 계속 휴지에 무언가를 뱉어내는 것이었다. 기도가 끝나고 보니 새 티슈 한 통을 둘이서 전부 써버렸다. 나는 한편으로 기가 막혔다.

'내가 어떻게 기도하는지 김 전도사에게 말하지도 않았고, 그것은 나만 아는 비밀인데….'

그때 나는 처음으로 하나님께서 내 기도를 전부 듣고 계시다는 것을 알았다.

'아! 하나님은 다 보고 계시구나! 정말이구나!'

나는 이후로 누가 뭐라 해도 하나님이 내 기도를 들으시는 것에 대한 확신을 가지게 되었다.

> 그러나 하나님이 실로 들으셨음이여 내 기도 소리에 귀를 기울이셨도다 시 66:19

전화로 하늘의 언어를 시작하다

2001년 1월 21일에 서울에서 재외(在外) 공관장회의가 열렸다. 나는 회의 참석 차 일시 귀국한 문봉주 주뉴질랜드대사와 점심을 함께했다. 문 대사는 나를 만나자마자 자신이 뉴질랜드에서 만난 박정미(현재 전도사로 워싱턴 D.C. 거주)라는 한국 여성에 관한 이야기를 했다.

그녀는 미국 외교관의 부인으로, 아주 특별한 은사를 가지고 있으니, 꼭 한번 통화를 해보라고 권했다. 나는 전화번호를 받았지만 아무래도 어색해서 아내에게 먼저 전화를 해보라고 했다. 통화를 하고 난 아내는 정말 놀라운 경험을 했다면서 내게도 통화를 권했다.

"여보세요? 박정미 집사님이십니까? 저는 문봉주 대사로부터 소개받은 사람입니다."

"아! 그러세요?"

"문 대사가 한번 전화해보라고 해서 연락드렸습니다."

"그런데 집사님, 집안에 혹시 순교자가 계세요?"

"안 계신데요."

"그럼 목사가 계신가요?"

"안 계십니다."

"목회자가 한 분도 안 계십니까?"

"안 계십니다."

"참 이상하네요!"

"뭐가요?"

"지금 집사님 뒤에 중보기도가 쌓여 있는데 기도의 양이 엄청나게 많아서 상상을 못할 정도입니다. 저는 아직까지 한 번도 그런 기도를 가진 사람을 본 적이 없습니다."

"네? 제 뒤에 기도가 쌓여 있다고요?"

"아마 집사님은 이해가 안 되실 겁니다. 그 기도가 어디서 왔는지는 모르겠지만 하여튼 엄청난 기도가 쌓여 있습니다."

"어머님과 큰누님이 저를 위해서 기도를 많이 하셨습니다만…."

"물론 그러셨겠지요. 그렇다고 해도 엄청나서요. 그 기도의 양을 제가 비유해드릴까요? 혹시 나이아가라 폭포 가보셨나요?"

"가봤습니다."

"기도의 양이 나이아가라 폭포와 같습니다. 그러니까 집사님은 앞으로 아무것도 무서워하지 마세요. 어떤 자들이 집사님을 욕하고, 공격하고, 비방해도 나이아가라 폭포에서 떨어지는 물줄기에 그들이 다 쓸려갈 테니 아무 걱정하지 마세요."

당시 나는 청와대에서 근무하면서 영적으로 힘든 일이 많았다. 그런데 이 말을 듣는 순간 가슴이 뻥 뚫리는 것 같았다. 이뿐 아니라 박 집사는 그동안 내가 어떻게 살아왔고, 당시 무슨 생각을 하고 있는지를 비롯해 나에 대한 모든 것을 다 아는 것 같았다. 몸이 덜덜 떨리고 소름이 끼쳤다.

대화가 마무리되어갈 무렵 박 집사가 나에게 물었다.

"집사님, 방언하십니까?"

"못하는데요."

"하셔야죠! 집사님도 방언을 하실 수 있으니까 하세요!"

"어떻게 합니까?"

"같이 기도합시다."

박 집사는 십자가에 달리신 예수 그리스도를 생각하며 나의 죄를 회개하라고 했다. 그런 후에 함께 간절히 기도했다. 그런데 불과 몇 분이 지나지 않아 내 입에서 방언이 터졌다.

"집사님, 오늘부터 열심히 방언으로 기도하세요. 방언은 아주 중요합니다."

그날부터 나는 방언기도를 열심히 하기 시작했다. 한동안 방언으로 기도를 하면 심한 기침과 함께 가래 같은 것이 계속 나왔다. 내 속에 있는 아프고 더러운 것들이 모두 쏟아져나오는 것 같았다. 그래서 나는 더욱 열심히 방언으로 기도했다.

기도로 넘긴 위기

청와대에서 근무할 때 나는 항상 수면 시간이 부족했다. 그래서 일단 잠을 자러 방에 들어가면 침대머리에 있는 청와대 비상 전화를 제외한 밖에서 울리는 일반 전화는 받지 않았다. 아내도 이를 알고 누구도 바꿔주지 않았다.

어느 공휴일이었다. 그날도 피곤한 몸을 누이고 자고 있는데 새벽 4시 30분쯤 거실에서 일반 전화가 울리기 시작했다. 당연히 나는 전화를 받지 않았다. 그런데 전화벨이 끈질기게 울렸다. 한 번에 수십 번을 울리다가 끊어지고 다시 울리기를 반복했다. 내가 전화를 받지 않으면 끝까지 할 기세였다. 나는 화가 났지만 할 수 없이 일어나서 전화를 받았다.

"여보세요?"

"집사님, 지금 뭐하세요?"

뉴질랜드의 박 집사였다.

"박 집사님! 지금 서울 시간 새벽 네 시 반입니다. 뭐하긴요, 자고 있었지요!"

"자다니요! 큰일이 났는데… 어서 일어나세요!"

"왜 그러세요?"

"아! 일어나세요. 일어나셔서 기도하시고 기다리세요. 연락이 올 겁니다."

자다 깨서 좀 황당했지만 큰일이라고 하니 정신이 번쩍 났다. 전화를 끊고 일어나 샤워를 하고, 한 시간 동안 거실 소파 위에 꿇어 엎드려 기도했다. 기도를 마치고 외출복을 차려 입고 소파에 앉아서 연락을 기다렸다.

8시 30분쯤 청와대 비상 전화벨이 울렸다. 당시 심윤조 외교비서관 (현재 주오스트리아대사)이었다.

"수석님, 일이 생겼습니다. 빨리 나오셔야겠습니다."

정말 놀라운 일이었다. 그 일은 나중에 언론에서도 크게 보도가 되었지만, 그때는 아직 언론에 노출되지 않고 내부에서만 신속하게 움직일 때였다. 당연히 뉴질랜드에 있는 사람이 알 수 있는 문제가 아니었다. 박 집사는 어떤 사건인지 전혀 모른 채, 나를 위해 기도를 하는 중에 그저 성령께서 주시는 말씀을 전해준 것이었다.

나는 한 시간 동안 기도를 한 덕분에 심적으로 여유가 있었다. 이 일이 생길 것을 미리 알려주시고 기도하게 하신 하나님께서 틀림없이 지켜주실 것이라는 믿음이 있었다. 그렇게 며칠 동안 정신없이 바쁘게 일하고 집에 돌아오니 박 집사에게서 전화가 왔다.

"집사님! 혼나셨죠?"

"네, 혼났습니다."

"이제는 좀 가라앉았는데요. 조금 더 갈 거예요. 계속 기도하셔야 해요."

그 사건은 정말 얼마간의 시간이 지난 후에 완전히 마무리되었다.

'어떻게 이런 일이 있을 수 있나?'

방언을 시작한 후 처음으로 경험한 신기한 일이었다. 나는 이 일을 통해 하나님께서 살아계시며, 사랑하는 자를 지키신다는 것을 알게 되었다. 하나님께서는 나를 사랑하셔서 자신의 말을 알아듣는 뉴질랜드에 있는 박 집사를 통해 나에게 미리 기도를 시키신 것이었다.

벽 좀 치지 마세요

나는 침대 앞에 엎드려서 방언으로 기도를 자주 했다. 나라와 민족을 위해 기도하던 중에 너무나 애통한 마음이 들고 답답할 때면, 가슴을 치기도 하고 때로는 벽을 쾅쾅 치며 기도를 했다.

'하나님! 너무하십니다. 우리 민족을 불쌍히 여겨주시옵소서.'

그러던 어느 날, 박 집사에게서 전화가 왔다.

"집사님! 요즘 기도 많이 하시죠?"

"예, 많이 합니다."

"그런데 왜 기도를 그렇게 하세요?"

"아니, 제가 뭘요?"

"제가 워싱턴에 있는 중보기도 팀 리스트에 집사님을 올려놨거든요. 그런데 어제 그 기도 팀에서 연락이 왔는데 '도대체 그 사람은 뭐하는 사람인데 기도할 때마다 벽을 치느냐!'는 거예요. 중보기도하는 사람 중에 누군가가 집사님 기도만 하면 자신도 함께 벽을 쾅쾅 치게된대요. 그러니 벽 좀 치지 마세요! 이제부터는 방석을 옆에 깔아놓으시고 그걸 치세요."

순간 나는 기가 탁 막히고 소름이 끼쳤다.

'내가 골방에서 기도하다 벽 치는 걸 워싱턴에 있는 사람이 알다니!'

하나님께서 나의 모든 기도를 들으시고, 언제 어디서나 나를 보고 계시다는 것을 다시 한 번 체험하는 사건이었다. 하나님은 이렇게 나에게 자신의 존재를 끊임없이 드러내셨다.

> 여호와여 주께서 나를 살펴보셨으므로 나를 아시나이다 주께서 내가 앉고 일어섬을 아시고 멀리서도 나의 생각을 밝히 아시오며 나의 모든 길과 내가 눕는 것을 살펴보셨으므로 나의 모든 행위를 익히 아시오니 여호와여 내 혀의 말을 알지 못하시는 것이 하나도 없으시니이다 시 139:1-4

두 발 모두 하나님께로

외무부에서 아태국장과 장관 특별보좌관 등의 공직생활을 하면서 내가 대통령에 대해 가진 생각은 일반 사람들과 크게 다르지 않았다.

'대통령은 대한민국 최고의 권력자니까 자신이 원하는 것을 다 할 수 있겠지.'

그런데 3년 8개월간의 청와대 생활을 통해 나는 대통령이 한 나라의 최고 권력자임에도 불구하고 할 수 없는 것이 너무 많다는 것을 알게 되었다. 국민 여론이 있고, 야당이 있고, 언론이 있고, 시민단체가 있으니 생각대로 할 수 없었다.

그런 모습을 보면서 나는 생각했다.

'대통령도 할 수 없는 것이 저렇게 많으니 나는 도대체 누구를 의지해야 하나…. 정말 하나님께서 도와주시지 않으면 내가 하고 싶은 일을 못하겠구나. 이제는 온전히 하나님만 믿고 가야겠다. 하나님도 믿는 척하고, 세상도 바라보고 하다가는 아무것도 안 되겠다!'

나는 마음속으로 하나님만 믿겠다고 굳게 다짐했다. 그리고 두 발 모두 하나님 쪽으로 옮기기로 했다. 무슨 일을 하든지 사람을 바라보고 사람에게 의지하기보다는 하나님께 모든 것을 맡겼다. 이렇게 청와대 근무를 계기로 나의 믿음이 서서히 깊어지게 되었다.

> 많은 군대로 구원 얻은 왕이 없으며 용사가 힘이 세어도 스스로
> 구원하지 못하는도다 구원하는 데에 군마는 헛되며 군대가 많다
> 하여도 능히 구하지 못하는도다 시 33:16,17

하나님 안의 형제

1998년 2월 24일, 대통령 취임식 전날에 청와대 총무비서실에서 연락이 왔다.

"내일 새벽에 차를 보내드릴 테니까 그 차를 타고 김대중 대통령님 사저에 가서서 대통령님을 모시고 활동을 시작하십시오."

이튿날 새벽에 차 한 대가 왔다.

"안녕하십니까? 오늘 비서관님을 모실 진건식 기사입니다."

진 기사는 체구는 말랐지만 아주 단단하게 보였다. 나는 진 기사와 함께 일산으로 가서 대통령 내외분을 모시고 첫 일정을 시작했다. 취임식이 끝난 다음 청와대로 돌아오니, 총무비서실에서 연락이 왔다.

"오늘 보낸 기사는 정식으로 결정된 사람이 아니니, 내일 새로운 운전기사를 결정해주십시오."

나는 알겠다고 하고 그날 퇴근하면서 진 기사에게 물었다.

"진 기사는 언제까지 나오지요?"

"저는 내일 오전까지만 나옵니다. 내일 오후부터는 비서관님이 결정하신 기사가 나올 겁니다."

다음 날 출근을 하면서 문득 이런 생각이 들었다.

'오후부터는 이 사람을 못 보겠구나. 그런데 하나님이 왜 나한테 대통령 취임식 날에 이 사람을 붙이셨을까?'

자동차가 광화문 사거리에 섰을 때, 내가 말했다.

"진 기사, 나하고 같이 일하면 어때요?"

"아멘!"

"…?"

"제가 사실 6개월 전부터 아내와 둘이서 기도했습니다. 앞으로 하나님을 믿는 분을 모시게 해달라고요. 비서관님, 감사합니다."

나는 청와대에 도착해서 총무비서실에 바로 연락을 했다.

"나는 어제 왔던 진건식 기사를 그대로 쓰겠습니다."

그렇게 해서 진 기사는 나와 함께 근무를 시작하게 되었다.

얼마 후부터 새벽예배에 다니게 되면서 나는 택시를 타고 교회에 갔다. 진 기사에게는 예배가 끝나는 시간에 교회로 오라고 했다.

하루는 진 기사가 말했다.

"저도 새벽예배를 다니고 싶은데 비서관님 모시고 같이 가면 안 되겠습니까?"

그 다음 날부터 진 기사가 우리 집에 와서 나를 태우고 교회에 가게 되었다. 그렇게 우리는 날마다 둘이 나란히 앉아 새벽예배를 드렸다. 이후 진 기사는 나에게 형제나 다름없는 존재가 되었다. 나는 주일에도 많은 경우 진 기사와 함께 예배를 드렸다. 그리고 같이 점심을 먹고 사무실에 나갔다.

청와대에서 일하는 동안 나는 특별한 약속이 없으면, 늘 진 기사와 식사를 했다. 의전비서관이나 수석비서관이 운전기사와 식사를 하는 일이 흔치 않았기 때문에 기사식당에 가면 다른 기사들이 놀란 눈으로 쳐다보곤 했다.

"어, 비서관님! 웬일이세요?"

"건식이랑 밥 먹으러 왔지."

후에 진 기사의 장인이 돌아가셨을 때는 내가 상가(喪家)에 가서 밤 늦게까지 안 가고 있으니 사람들이 의아해서 물었다.

"수석님, 왜 아직 안 가시고…?"

"진 기사는 내 동생 같은 친구인데 내가 어떻게 갑니까?"

못 떠나시게 기도합니다

진 기사는 하나님이 보내신 나의 감독관이기도 했다. 나는 대통령을 모시고 있었기 때문에 거의 술을 마시지 않았지만 어쩌다가 포도주를 한두 잔씩 할 때가 있었다. 그런데 한번은 며칠간 연거푸 포도주를 마시게 되었다. 하루는 출근하는데 진 기사가 한마디 했다.

"비서관님! 요새 왜 그러세요?"

"뭐가?"

"아니, 왜 자꾸 포도주를 드세요?"

"어! 미안해."

하루는 진 기사가 나에게 말했다.

"비서관님, 아무리 청와대를 떠나고 싶으셔도 2001년 가을까지는 못 떠나실 겁니다."

"왜?"

"제가 못 떠나시게 기도하고 있습니다."

"자네가 왜 그런 기도를 하는 거야?"

이야기를 들어보니 그가 반포에 조그만 아파트를 하나 분양 받았는데, 내가 그에게 월급 외에 주는 생활보조비로 아파트 분양금을 붓고 있다는 것이었다. 그런데 그 아파트가 2001년 가을 분양 예정이기 때문에, 그 전에 내가 떠나면 분양금을 붓는 것이 어렵다고 했다. 그래서 나를 그 전에 청와대에서 내보내지 마시라고 하나님께 기도한다는 것이었다.

"하하, 이 친구 보게! 자기 아파트 때문에 상사를 못 떠나게 기도하는 부하가 어디 있어?!"

말은 그렇게 했지만, 나는 그런 진 기사가 밉지 않았다.

2001년 7월 어느 날이었다. 차를 타고 가는데 진 기사가 대뜸 말했다.

"수석님, 이제 떠나셔도 돼요!"

아파트 입주에 필요한 돈을 거의 다 부었다는 것이다.

"하하! 이 친구 정말 재미있네."

그런데 정말 놀랍게도 내가 2001년 10월에 청와대를 떠나게 되었다. 그리고 진 기사는 소원대로 11월에 그 아파트에 입주했다. 하나님께서 진 기사의 기도를 들어주신 것이었다. 진 기사는 청와대에 있는 동안 나를 돕고 지키는 동역자로 하나님께서 붙여주신 귀한 형제였다.

chapter 02
흔들리지 않는 믿음

하나님께서는 마치 부모가 자녀에게 처음 말을 가르칠 때처럼
하나씩, 천천히 나에게 그분의 세계를 열어 보여주셨다.
그리고 내가 끊임없이 기도로 그분의 뜻을 알고자 나아갔을 때 점차 분명하게 알려주셨다.

세 번째 소원

1995년 1월에 나는 주중대사관에서 정무공사(政務公使)로 근무하는 중에 외무부의 아태국장으로 내정되어 급히 서울로 들어가게 되었다. 당시 출석하던 베이징21세기교회에서 떠나기 전 마지막 주일예배를 드렸다. 광고 시간에 박태윤 목사님께서 교인들에게 내 귀국 소식을 전하셨다.

"김하중 공사님이 3년 근무를 마치고 한국으로 돌아가시게 됐습니다. 떠나시기 전에 여러분께 인사 말씀을 하시겠습니다."

예상치 못한 목사님의 말씀에 나는 앞으로 나가면서 '무슨 말을 해냐 되나' 생각했다. 그런데 막상 교인들 앞에 서니 입에서 말이 술술 나왔다. 지금 생각해보면 성령님이 시키신 것이었다.

"여러분, 저에게는 세 가지 소원이 있었습니다. 첫 번째가 외교관이 되는 것이고, 두 번째가 중국에 와서 한중(韓中)수교를 하는 것이었습니다. 하나님께서는 지난 20년 동안 이 두 가지 소원을 다 이루어주셨습니다. 이제 저는 마지막 소원을 품고 베이징을 떠납니다. 그것은 주중대사가 되는 것입니다. 저는 하나님께서 두 가지 꿈을 이루어주셨듯이, 이 마지막 꿈도 이루게 해주실 것이라고 믿습니다. 제가 앞으로 10년 안에 주중대사가 되어 돌아와 여러분께 인사드리겠습니다."

그렇게 인사를 하고 들어오는데 내가 생각해도 좀 황당한 말이었다. 아마 거기 모인 사람들 중 어떤 이는 속으로 이렇게 생각했을지도 모른다.

'저 사람, 웃기네! 자기가 뭐라고 이렇게 많은 사람 앞에서 10년 안에 주중대사가 되어서 돌아오겠다고 호기(豪氣)를 부리다.'

10년 후를 대비한 기도

서울로 돌아와 하루는 기도를 하는데 퍼뜩 이런 생각이 들었다.

'내가 베이징을 떠날 때 교인들한테 10년 안에 주중대사가 되어 돌아간다고 큰소리를 쳤는데, 내가 지금 뭐하고 있나….'

그런데 이상하게도 기도를 할수록 주중대사가 되는 건 아무 문제가 없을 것이라는 확신이 들었다. 그래서 어느 날, 나는 하나님께 이렇게 기도를 했다.

'하나님께서 저를 10년 안에 주중대사로 보내실 것을 믿습니다. 이

때까지 제 기도에 다 응답하셨기 때문에 세 번째 소원도 들어주실 것을 믿습니다. 하나님! 저를 주중대사 시켜주셔서 감사합니다.'

나는 이미 주중대사가 된 것처럼 감사기도를 드렸다. 그리고 연이어 간절히 기도했다.

'하나님, 그런데 저는 주중대사가 되더라도 그냥 일반적인 대사가 되고 싶지 않습니다. 한중관계를 더욱 발전시키고, 또 역사에 남는 훌륭한 대사가 되고 싶습니다. 제가 10년 후에 대사가 되어 중국에 갔을 때 저를 도와줄 중국의 장관이나 차관, 사회 각 분야에서 영향력 있는 자리에 오를 사람이 누구인지 미리 알려주시면, 제가 그들을 위해서 10년 동안 기도를 쌓겠습니다. 그러면 그들이 나중에 저에게 도움을 주지 않겠습니까? 하나님, 그 사람들이 누구인지 가르쳐주십시오!'

그러고는 내가 주중대사관에서 공사로 있던 3년 동안 만난 중국 사람들의 명단을 앞에 놓고 하나님께 한 사람씩 여쭤보기 시작했다.

'하나님, 이 사람이 될 것 같습니까?'

기도하는 과정에서 하나님께서 내 마음에 '이 사람은 꼭 될 것 같다' 하는 감동을 주시는 사람이 있었다. 그렇게 기도하면서 20여 명의 이름이 적힌 명단을 만들었다. 나는 10년을 작정하고 그들을 위해 기도하기 시작했다.

그런데 기도한 지 6년 10개월 만에 나는 주중대사가 되었고, 명단에 있는 사람은 어느새 40여 명으로 늘어나 있었다. 그 사이에 많은 중국인들을 만났고, 훌륭한 사람들이 있으면 계속 추가했기 때문이다.

2001년 10월 대사로 부임할 때 그 명단을 갖고 갔다가 2008년 3월 초 통일부 장관으로 임명되어 돌아올 때 세어보니, 80여 명으로 늘어나 있었다. 나는 매일 이들을 위해 기도했고, 지금도 기도하고 있다. 그중에는 15년간 하루에 두 번씩, 지금까지 만 번이 넘게 기도하고 있는 사람들도 있다.

주중대사가 되다

나는 청와대에서 근무를 하면서도 장래 주중대사가 되었을 때를 대비하여 차를 타면 늘 중국에 관한 책을 읽었다. 하루는 진 기사가 나를 보고 말했다.

"수석님! 주중대사로 가시겠네요."

"주중대사? 내가 어떻게 주중대사가 돼?"

나는 그에게 주중대사에 대한 이야기를 한마디도 한 적이 없어 순간 놀랐다.

"아니, 만날 중국 관련 책이랑 신문 읽으시잖아요. 그러니까 주중대사 가시는 거죠!"

진 기사는 내가 말도 하지 않았는데 내 마음을 꿰뚫어보고 있었던 것이다. 그리고 진 기사의 말대로 나는 얼마 후 주중대사가 되었다.

2001년 8월 말에 한나라당에서는 8·15 남북공동행사 방북단의 평양 체류 중 활동을 이유로 임동원 통일부 장관에 대한 해임 건의안을 발의했다. 당시 나는 대통령 외교안보수석비서관으로서 통일부 장관과 업무적으로 깊은 관계가 있어서 장관 해임 결의안에 대해 신경을 많이 썼다. 하지만 9월 3일에 국회에서 해임 결의안이 통과되고 말았다. 임동원 장관이 해임되던 날 나는 걱정이 많았다.

'아! 그러면 통일부 장관을 누가 하나?'

그리고 나흘 뒤 새벽예배를 마치고 교회에서 나와 차를 타는데 진 기사가 내게 신문을 건네주면서 말했다.

"수석님! 주중대사로 가시네요."

"응?"

신문을 봤더니 "주중대사 홍순영→통일부 장관, 김하중 외교안보수 석→주중대사"라는 기사가 크게 실려 있었다. 그리고 며칠 후에 나는 주중대사로 내정이 되었다.

2001년 10월 8일에 나는 소원하고 기도하던 대로 주중대사가 되어 중국으로 부임했다. 그리고 베이징에 도착한 첫 주일에 21세기교회에 예배를 드리러 갔다. 박태윤 목사님이 문 앞에서 나를 반갑게 맞아주 었다.

"저는 대사님이 오실 줄 알았어요."

"어떻게요?"

"베이징을 떠나시기 전에, 10년 안에 대사가 되어 오신다고 하는 말을 듣고, 큰 충격을 받았습니다. 저는 그날부터 주중대사로 오시도록 계속 기도했습니다. 그런데 나중에 생각해보니 대통령이 대사님을 안 보내주시면 오시지 못할 것 같아서 대통령을 위해서도 같이 기도했습니다."

그 후에 나는 교인들을 비롯한 많은 사람들이 내가 주중대사가 되어 돌아오도록 기도했음을 알게 되었다. 중국을 떠나기 전 교회에서 주중대사가 되어 돌아오겠다고 한 것은 내 안에 계신 성령께서 내 입을 통해서 말씀하신 것이며, 그 말을 직접 또는 간접적으로 들은 사람들로 하여금 나를 위해 기도하게 하신 것이라고 생각할 수밖에 없었다.

너희가 기도할 때에 무엇이든지 믿고 구하는 것은 다 받으리라
하시니라 마 21:22

중보기도로 이겨낸 환난

주중대사 부임에 앞서 나는 이사를 하고 난 다음, 하루를 호텔에서 묵었다. 부임 전날인 10월 7일 밤에 뉴질랜드의 박정미 집사로부터 전화가 왔다.

"대사님, 내일 떠나시지요?"

"그렇습니다."

"기도 많이 하셔야 돼요."

"왜요?"

"거기서 지금 악한 세력들이 대사님을 골탕 먹이려고 벼르고 있으니 조심하시고 기도 많이 하세요."

"알겠습니다."

"정말 기도 많이 하셔야 해요."

"알겠습니다."

그러나 나는 중국에 도착하자마자 신임장 제정, 부임 인사 등 매우 바쁜 시간을 보내면서 하루에 기껏해야 30분 정도밖에 기도를 못했다. 부임 후 일주일 뒤인 10월 15일에 상하이에서 APEC(아시아태평양 경제협력회의) 정상회의가 열렸다. 나는 상하이에 내려가 김대중 대통령을 비롯한 대규모의 대표단과 함께 활동을 시작했다. 정상회의가 끝나고 나는 베이징으로 돌아왔다.

베이징으로 돌아온 이틀 뒤에 한중관계 역사상 최초로 우리 해군 함정 세 척이 상하이 항(港)에 입항하는 것을 축하하기 위해 나는 다시 상하이에 내려갔다. 그곳에서의 일정 중에 대사관의 정무공사로부터 전화를 한 통 받았다.

"언론에 우리나라 마약 밀매범 한 명이 중국 헤이룽장성(黑龍江省)에서 사형을 당했다는 보도가 나서, 알아보고 있는 중입니다. 알아서 잘 처리할 테니 상하이에서 예정대로 활동을 마치고 돌아오십시오."

나는 이틀간의 일정을 다 마치고 베이징으로 돌아오자마자 대사관 간부와 총영사관 직원들을 불러 물었다.

"마약 밀매범 사형과 관련하여 중국 정부로부터 사전에 통보받은 것이 있습니까?"

"없습니다."

나는 중국 정부가 외국인 사형 집행과 같은 중요한 사안을 대사관에 아무 통보도 없이 처리했다는 것이 이해가 되지 않았다.

"그래도 다시 한 번 잘 찾아보세요."

그러던 11월 2일 새벽에 중국 외교부가 한국인 마약 밀매범 사형과 관련하여 한국대사관에 사전에 공식으로 통보했다는 발표를 했다.

그러나 직원들은 계속 받은 적이 없다고 우겼다. 그런데 그날 오후 영사부 한 직원의 캐비닛에서 중국 정부의 통보 서류가 발견되었다. 그러면서 여론이 급속히 악화되기 시작했다. 다음 날 국내 조간신문에 일제히 주중대사관을 비난하는 기사가 보도되었다. 이후 며칠간 언론에서 주중대사관과 외교통상부를 비판하는 기사를 보도했다.

나는 무척 곤혹스러웠다. 원래 중국 측 통보는 9월 말에 있었다. 그러니까 내가 대사로 부임하기 전에 있었던 일이다. 그러나 이유가 어떻든 대사로서 무거운 책임감을 느낄 수밖에 없었다. 나는 우리 정부와 중국 정부 사이에 이 문제가 더 이상 악화되지 않도록 노력했다.

그러면서 서울을 떠나기 전 박정미 집사가 한 말이 떠올랐다. 그때 박 집사가 기도를 많이 하라고 했는데 바쁘다는 핑계로 기도를 충분히 하지 못한 것이 생각나자, 나는 바로 하나님 앞에 무릎을 꿇고 깊이 회개했다.

얼마 후 뉴질랜드에서 박 집사가 전화를 했다.

"대사님, 혼나셨죠?"

"네, 혼났습니다."

"그래서 기도 많이 하시라고 말씀드렸잖아요."

박 집사는 뉴질랜드에서 근무하는 미국 외교관의 부인이라 우리나라 국내 사정은 잘 몰랐다. 그런 그녀가 성령님께서 주시는 말씀에 따라 나에게 전화를 한 것이었다. 놀라운 일이 아닐 수 없었다.

성령님이 시키신 기도

2002년 봄이었다. 외교통상부의 중견 간부가 대사관으로 나를 찾아왔다. 그는 중국에 출장을 왔다가 내게 꼭 전할 말이 있어 면담을 신청했다면서 다음과 같은 말을 했다.

"저는 2001년 6월에 40일 특별새벽기도를 시작했습니다. 새벽에 교회에서 기도하는데 성령님께서 대사님(당시는 대통령 외교안보수석비서관) 중보기도를 시키셨습니다. 사실 저는 대사님을 잘 모르기 때문에 대사님에 관한 기도를 할 생각이 전혀 없었습니다. 그래서 기도를 중단하고 하나님께 '저는 이 분을 잘 모릅니다' 하고 말씀드렸습니다. 그러나 성령께서는 계속 저에게 대사님을 위한 중보기도를 시키셨습니다. 저는 할 수 없이 제 기도제목이 많은 데도 불구하고 대사님을 위한 기도를 계속했습니다. 그러던 중에 대사님께서 주중대사로 나가셨습니다.

중보기도를 계속하던 중, 지난 10월 말 중국에서 한국인 마약 밀매범의 사형 사건이 보도되고 대사님과 주중대사관이 어려운 처지에 빠진 것을 보면서, 왜 성령님께서 저에게 그동안 대사님을 위해 기도하게 하셨는지를 알게 되었습니다. 저는 다음 날 새벽기도에 가서는 좀 더 열심히 기도하려고 했습니다. 그런데 이상하게도 대사님에 대한 기도가 나오지 않았습니다. 이미 기도의 분량이 차서 그랬던 것 같습니다. 저로서는 처음 겪는 신기한 경험이라 대사님께 말씀드리고 싶었습니다."

나는 그의 말을 들으며 정말 깊은 감동을 받았다. 하나님께서는 이미 그 사건이 일어날 줄을 아시고, 박 집사를 통하여 나에게 경고를 하심과 동시에 나와 가깝지는 않지만 기도하는 자를 찾아 나를 위한 중보기도를 시키신 것이었다. 나는 하나님의 나에 대한 깊은 사랑을 깨달으면서 다시 한 번 믿음의 사람으로 굳건히 서야겠다고 다짐했다.

이후 나도 그 간부를 위해 중보기도를 시작했다. 그에게 어떤 상황이 올 때마다 하나님의 말씀을 전해주었고, 그는 그것을 통해 큰 위로를 받고 기쁨을 얻게 되었다. 그리고 그는 현재 대사급 외교관이 되었다.

나에게 다 물어라

인구 13억이라는 거대한 나라, 중국에 대사로 부임하고 보니 어려움이 한두 가지가 아니었다. 중국에서는 내가 우리 정부를 대표하는 가장 높은 사람이니 모두가 나를 찾고, 내 의견을 물었다. 본부에서 끊임없이 지시가 내려오는데 나에게는 물어볼 사람도, 부탁할 사람도 없었다. 모두 내가 알아서 책임지고 처리를 해야 했다. 매일 열심히 기도는 했지만 하나님의 뜻이 어디에 있는지 모르니 답답하기만 했다.

그런 상태로 계속 기도하고 있을 때인 2001년 12월 말쯤 김지연 전도사가 베이징에 왔다.

그리고 다음과 같이 기도해주었다.

"이제 너는 나의 말에 민감하라. 너는 나에게 물어라. 아무리 사소한 일이라도 결정하기 전에 기도하라! 내가 이제부터 네가 하는 모든 기도에 응답할 것이다. 너는 내가 말하기 전에는 한 발짝도 나가지 마라! 중요한 것만 묻지 말고 사소한 일도 모두 물어라. 그리하면 내가 다 가르쳐줄 것이다."

나는 이 말들이 전혀 믿기지 않았다. 하지만 이후로 기도할 때마다 아주 사소한 기도제목이라도 써놓고 기도하기 시작했다. 정말 하나님께서 내 기도에 다 대답하실지 궁금했기 때문이다.

그렇게 기도한 지 8개월쯤 지난 어느 날이었다. 기도하는 중에 갑자기 숨이 막히고 목이 졸리며 얼굴이 뒤틀리는 현상이 나타나기 시작했다. 갑자기 혀가 밖으로 쑥 나왔다가 입 안으로 말려들어가기도 했다. 내 의지로는 도저히 통제할 수가 없었다. 나도 아내도 이런 일은 처음이었다. 아는 목사님께 여쭤보기도 했지만, 이유를 아는 사람이 아무도 없었다.

나는 생전 처음 겪는 현상에 놀라 아내에게 조심스레 말했다.

"내가 혹시 귀신 들린 것은 아닐까?"

아내는 긴가민가하여 내가 기도할 때 옆에 앉아 있다가 나에게 그런 현상이 나타나면 "사단아! 물러가라" 하면서 대적기도를 하기도 했다. 그래도 이런 현상은 없어지지 않았다. 그렇다고 기도를 멈출 수는 없어서 계속 기도했다.

어느 날 저녁, 기도를 하는데 전과 같이 숨이 막히고 목이 졸리고 얼굴이 뒤틀리다가 혀가 쑥 나오면서 내 몸이 옆으로 쓰러져버렸다. 숨이 차서 헉헉거리고 있는데 번뜩 이런 생각이 들었다.

'이거 내가 아니네! 혹 내가 중보기도하는 사람의 상태가 아닐까?'

가만히 생각해보니 기도 대상자의 상태에 따라서 숨이 막히기도 하고 목이 졸리는 고통을 느끼기도 하며, 또 얼굴이 뒤틀리기도 하고 혀가 튀어나오는 것 같았다.

내 몸에 나타나는 이런 현상은 성령님께서 나에게 주시는 언어였다. 성령님께서 나에게 말씀하시는데 내가 알아듣지 못하니 내 몸으로 메시지를 전하시는 것이었다.

그런 깨달음이 있고부터 나는 기도하는 중에 나타나는 몸의 현상을 보면서 내가 기도하는 사람들의 상태를 짐작하게 되었다. 내 몸에 나타나는 고통과 괴로움의 정도가 내가 중보하는 사람들의 상태인 것을 알 수 있었다. 이후 나는 전화나 만남 등의 방법으로 확인을 하면서 내 몸에 나타나는 현상이 기도하는 사람들의 상황과 일치한다는 것을 알게 되었다. 그리고 두세 달 후부터는 그러한 현상과 더불어 눈물과 통곡이 함께 나오기 시작했다.

성령님이 팔을 들어 올리시다

그러는 동안 해가 바뀌어 2003년 1월의 어느 날이었다. 그날도 어떤 기도제목을 가지고 하나님께 간절히 기도를 하고 있었다.

'하나님! 이것은 나라에 관계된 중요한 일이니 꼭 도와주십시오.'

이렇게 기도하는데 갑자기 내 두 팔이 위로 쭉 올라갔다. 그리고 입에서 방언으로 찬양이 나오기 시작했다. 이제껏 한 번도 들어보지 못한 찬양이었다.

'아! 이게 무슨 찬양인가?'

찬양은 몇 분간 지속되었다. 찬양이 끝나자 두 팔도 내려왔다. 나는 이상하게 생각하면서 다른 기도제목을 가지고 기도를 했다. 이번에는 팔이 올라가지 않았다. 이어서 다른 기도를 하는데 조금 전처럼 두 팔이 올라가면서 방언으로 찬양이 나오기 시작했다. 그런데 이번에는 다른 찬양이 나왔다. 계속해서 기도를 하면서 살펴보니 방언 찬양은 두 가지였다. 나는 첫 번째 찬양(A)과 두 번째 찬양(B)이 나온 기도를 구별하여 표시를 해놓았다. 그리고 후에 결과가 어떻게 되는지 관찰했다.

얼마 지나고 보니까 내 팔이 올라간 기도제목은 모두 이루어졌다. 반대로 팔이 올라가지 않은 건 하나도 이루어지지 않았다. 또한 A찬양이 나온 것은 일이 아주 잘 이루어졌고, B찬양이 나온 것은 되긴 되는데 아주 잘되는 게 아니라 보통으로 이루어졌다. 성령님께서 내게 말씀하시는데 내가 못 알아들으니 강권적으로 내 두 팔을 올리시고 찬양으로 응답해주신 것이었다.

한번은 기도하는데 팔이 안 올라가자 옆에서 지켜보던 아내가 말했다.

"여보! 팔을 한번 올려봐요!"

내가 팔을 올리려고 하니 마치 누가 내 어깨를 쇳덩이로 누르는 것처럼 꿈쩍도 하지 않았다. 팔은 성령님께서 올리셔야 올라가지 내 의지대로 올릴 수가 없었다. 나는 신기하기도 하고 재밌기도 했다. 기도하는 시간이 참으로 기다려지고 행복했다.

나는 매일 수십 개의 기도 리스트를 만들어 기도했다. 그날 만나야 할 사람들과 해야 할 일들과 당면한 주요 문제들을 위해 기도했다. 기도 중에 팔이 올라가면 ○표, 안 올라가면 ✕표 표시를 했다. 김지연 전도사를 통해 하나님께서 주신 말씀대로 내가 묻는 모든 것에 답을 주셨다. 나는 말씀을 받을 당시 마음으로 의심했던 것을 깊이 회개하며 감사의 기도를 드렸다.

명확하게 들리는 말씀

이런 현상이 1년 반 정도 계속되었다. 그런데 한 시간 기도하는 동안 열 번만 팔이 올라가도 30분에서 40분이 걸렸다. 오래 팔을 올리고 있으니 너무 힘들었다. 그래서 나는 하나님께 투정어린 기도를 했다.

'하나님! 너무 힘이 듭니다. 우선 팔이 아프고요, 또 기도제목이 아직도 많이 남았는데 시간이 부족합니다. 가능하시면 좀 간단히 가르쳐주실 수 없으십니까?'

그런 기도를 하고 얼마 후부터 기도 중에 팔이 올라가지 않았다. 나는 갑자기 걱정이 되었다.

'어! 이거 팔이 왜 안 올라가지? 괜히 그런 기도를 해가지고 이제 응답을 못 받는 것 아닌가?'

그러던 어느 날, 기도 중에 성령님께서 내 마음속에서 강력하게 '된다' '안 된다' '하라' '하지 마라' 라고 말씀하셨다. 전에도 성령님께서는 내게 말씀을 하셨는데 내가 민감하지 못해 알아듣지 못한 것이었다. 그런데 1년 반 동안 기도하면서 성령님의 음성에 민감하게 되자

비로소 그 말씀을 깨닫게 되었다. 비록 팔이 올라가는 것처럼 눈에 보이는 것은 아니었지만, 마음속에서 성령님께서 말씀하시는 것이 명확하게 느껴졌다.

하나님께서는 마치 부모가 자녀에게 처음 말을 가르칠 때처럼 하나씩, 천천히 나에게 그분의 세계를 열어 보여주셨다. 그리고 내가 끊임없이 기도로 그분의 뜻을 알고자 나아갔을 때 점차 분명하게 알려주셨다. 마치 다윗이 전장(戰場)에 나가기 전에 하나님께 가야 할지 말아야 할지, 가면 어디로 가야 할지 여쭈었고, 하나님께서 대답하신 것처럼 말이다.

> 다윗이 하나님께 물어 이르되 내가 블레셋 사람들을 치러 올라가리이까 주께서 그들을 내 손에 넘기시겠나이까 하니 여호와께서 그에게 이르시되 올라가라 내가 그들을 네 손에 넘기리라 하신지라 대상 14:10

> 그 후에 다윗이 여호와께 여쭈어 아뢰되 내가 유다 한 성읍으로 올라가리이까 여호와께서 이르시되 올라가라 다윗이 아뢰되 어디로 가리이까 이르시되 헤브론으로 갈지니라 삼하 2:1

나는 주신 말씀을 온전히 믿고 순종했고, 믿음의 뿌리가 서서히 내 몸에 깊이 박히기 시작했다.

술을 토하다

2003년 2월 중순께 아내가 사무실로 전화를 했다.

"오늘 한국에서 연락이 왔는데 뉴질랜드에 있는 박정미 집사 언니인 박정희 집사라는 분이 중국에 온대요. 단체로 관광을 왔다가 한 집사님과 베이징에 남아서 하루 이틀 정도 우리와 함께 있고 싶대요."

나는 그 말을 듣는 순간 '이분들은 천사다'라는 생각이 들었다. 그래서 아내에게 대답했다.

"여보, 그 분들은 천사야! 우리가 잘 모셔야 돼."

며칠 후 박정희 집사(현 광주 열방교회 집사)와 이정숙 집사(현 부산 수영로교회 권사)가 집에 왔다. 우리는 함께 저녁을 먹고 기도를 했다. 그런데 기도하는 중에 박정희 집사가 말했다.

"대사님은 이제 통변도 하시고 하나님의 말씀도 들으실 거예요."

"예? 제가요?"

내가 통변을 하고, 하나님 말씀을 들을 수 있다니 도저히 믿어지지가 않았다.

그러더니 박 집사가 내게 물었다.

"그런데 대사님, 술 하세요?"

"하죠. 보통 때는 안 하지만, 공식 행사가 있으면 포도주 한두 잔은 합니다."

"음… 이제 포도주도 못하실 걸요."

"왜요?"

"앞으로 술을 토하실 거예요."

“제가요?”

“예!”

“그걸 어떻게 아세요?”

“지금 하나님께서 환상을 보여주시는데 대사님께서 계속 술을 토하고 계세요. 앞으로 언젠가 술을 토하실 것이고, 그렇게 되면 술은 한 방울도 못 하세요. 그 후에 대사님께 여러 가지 놀라운 변화가 있을 겁니다.”

나는 그 말을 듣고 놀라지 않을 수 없었다.

'거 참! 희한하네, 아프지 않은 다음에야 사람이 사회생활을 하는데 어떻게 술을 한 방울도 못한다는 말인가?'

박정희 집사 일행이 한국으로 돌아가고 한 달쯤 지난 어느 날이었다. 기도를 하는데 평소처럼 때때로 팔이 올라가고 방언 찬양이 나왔다. 그러다가 누구를 위한 중보기도를 하는데 별안간 내 입에서 통변이 나오기 시작했다.

“아! 하나님, 답답합니다. 답답해 죽겠습니다. 하나님, 저 좀 도와주세요!”

내가 누군가를 위해 기도를 하면 이런 식으로 통변이 나오면서 그 사람의 상황을 정확히 알게 된 것이다. 그가 지금 무엇 때문에 고민하고 있다는 걸 알게 되니 그의 어려움을 위해 기도할 수 있게 되었다. 박 집사가 이야기한 통변이 시작된 것이었다. 동시에 비록 짧기는 하지만 하나님의 말씀도 듣기 시작했다.

나는 2005년 11월까지 행사 때면 포도주를 마셨다. 그러던 12월 대사 관저에서 만찬이 열렸을 때였다. 중국의 고위 인사를 초청하여 만찬을 하는데, 건배사(건배하기 전에 하는 간단한 연설)를 한 다음에 포도주로 건배를 했다. 그리고 포도주를 마시려고 잔을 입술로 가져가는데 술잔이 입술 앞에서 딱 멈췄다. 팔이 움직이지 않는 것이었다.

'어? 이거 왜 이러지?'

술잔을 든 팔이 움직이지 않자 나는 당황할 수밖에 없었다. 순간적으로 '혹시 중풍이 온 건가?' 라는 생각이 들었다. 나는 할 수 없이 포도주 잔을 내려놓고 왼손으로 계속 오른팔을 주물렀다. 그리고 잠시 있다 다시 술잔을 들고 입술로 가져가려 했으나 역시 술잔을 든 팔이 입술로 가지 않았다. 나는 할 수 없이 몸을 굽혀 술잔에 입을 가까이 대고 포도주를 마시려 했다. 그때였다.

"욱!"

포도주 잔에 입술을 대려는 순간 속에서 구토가 올라왔다. 그날 나는 만찬 내내 포도주를 한 방울도 마실 수가 없었다. 만찬이 끝난 후 아내에게 이 일을 이야기했다. 아내가 놀라워하며 말했다.

"기억 안 나요? 몇 년 전에 박정희 집사가 당신이 술을 토할 거라고 했잖아요!"

"아! 그래, 그랬지….""

나는 그 말을 기억하고, 서재로 가서 이전의 기록을 찾아보았다. 2003년 2월 26일에 박정희 집사가 한 기도를 적어놓은 것을 보면서, 나는 놀라지 않을 수 없었다.

'폭탄주를 열 잔도 마시던 내가 포도주를 한 방울도 못 마시게 되다

니! 아, 이제는 성령님께서 내 몸을 완전히 점령하셨구나.'

성령님께서 내 안에서 술을 밀어내신 게 틀림없었다.

내 안에서 말씀하시는 하나님

다음 날 저녁에 내 방에서 문을 잠그고 기도를 하는데 누가 내 뒤에서 이야기를 하는 것 같았다. 뒤를 돌아보았지만 아무도 없었다. 다시 기도를 시작하려는데 또 누가 무어라고 하는 것 같았다. 나는 일어나서 방을 돌아보기도 하고, 벽장을 열어보기도 하고, 방에 딸린 욕실 문까지 열고 들여다보았지만 아무도 없었다. 다시 무릎을 꿇고 기도를 하려는데, 또 누가 무어라고 하는 것이었다.

그 순간 나는 성령님께서 말씀하시는 것일지도 모르겠다는 생각이 들었다. 그래서 얼른 펜과 종이를 준비하고 방언으로 기도하기 시작했다. 그리고 내 안에서 들리는 말씀을 적었다. 기도가 끝난 다음 보니 내가 중보기도하는 사람에 대한 것 같은데 나는 전혀 알지 못하는 그의 직장이나 가정의 문제, 자녀에 대한 내용이 적혀 있었다.

나는 그렇게 하나님의 말씀을 받기 시작했다. 그리고 사람들을 만나면 조심스럽게 그를 위해 기도하다 받은 마음을 말해주기도 하고, 어떤 때는 기도 내용을 적은 종이를 주기도 했다.

말씀의 파급효과는 내가 생각했던 것보다 훨씬 컸다. 말씀을 받은 대부분의 사람들은 놀라서 어쩔 줄 몰라 했다. 그 자리에서 울음을 터트리는 사람들도 있었다. 그들은 하나님께서 자신을 불꽃과 같은 눈동자로 지켜보고 계시다는 것에 감격하고 기뻐했다. 그 후 지금까지 수없이 많은 사람들에게 하나님의 말씀을 전해주었고, 그때마다 하나님의 살아계심을 경험하게 되었다. 그러면서 나는 누가 뭐라 해도 흔들리지 않는 믿음과 담대함을 갖게 되었다.

우리가 그 안에서 그를 믿음으로 말미암아 담대함과 확신을 가지고 하나님께 나아감을 얻느니라 엡 3:12

chapter 03

사랑과 담대함으로 얻은 승리

나는 사람들로부터 '저 사람은 왜 저렇게 모험을 할까?'
'도대체 뭘 믿고 저렇게 담대할까?' 하는 의문어린 시선을 많이 받았다.
그러나 하나님께서 결정해주셨고 나는 따르기만 했기에 담대할 수 있었다.

사스 전쟁

내가 주중대사로 부임한 후 가장 힘들었던 사건 중의 하나가 21세
기에 최초로 등장한 신종 전염병인 '급성호흡기증후군'(Severe Acute
Respiratory Syndrome, SARS 이하 사스)의 발생이었다. 사스는 2002년 11월
중국 광둥성(廣東省)에서 첫 환자가 발생한 후, 아시아를 중심으로 전
세계 30여 개국으로 퍼져나갔다. 이후 2003년 7월 5일에 세계보건기
구(World Health Organization, WHO)가 정식으로 통제되었다고 선언하기
까지 사스는 전 세계적으로 8500여 명의 환자와 800명 이상의 사망자
를 내고 퇴치되었다.

WHO는 사스가 강력한 전염력을 가지고 있는 신종 전염병으로 예
방약이나 치료약이 없을 뿐 아니라, 다른 전염병과는 달리 발병 초기

에 진단이 쉽지 않고 항공기를 통해 전 세계적으로 급속히 퍼지는 점에 주목했다. 그래서 국가 간의 전파를 최대한 차단하고자 중국 광둥 지역과 홍콩에 이어 베이징(北京)시와 산시성(山西省), 캐나다의 토론토에 대한 여행 제한을 권고했다. 이것은 WHO 역사상 유례를 찾기 힘든 강력한 조치였다. 이 여행 제한 권고는 중국의 화베이(華北) 지역으로 확대되었다.

이에 따라 중국 내에서는 사회 불안이 극에 달하여 유언비어가 난무하고 휴교 조치가 내려졌을 뿐만 아니라, 사스가 발생한 주요 도시에 유입된 농촌 출신 노동자들이 여행 제한 조치에도 불구하고 무작정 귀향하는 등, 사스가 중국 전역으로 확대될 우려가 현실로 나타났다. 급기야 중국 정부는 사스 통제를 '전쟁'으로 규정하기에 이르렀다.

한편 국외적으로는 많은 국가들이 중국으로부터 사스의 유입을 조기에 차단하고자 중국에 대한 출장이나 여행 자제 조치를 내리고, 중국인에 대한 비자 발급을 거부하거나 제한함으로써, 중국의 국가적인 위상이 크게 손상을 입었다. 동시에 중국에서 생활하던 외국인들과 유학생들의 본국으로의 귀국이 증가하고, 외국 정상들의 방중(訪中)과 국제회의의 개최, 유명 외국 공연 단체의 공연이 취소 또는 연기되는 등 경제 활동 뿐만 아니라, 국가 사회의 기능이 거의 마비 상태에 이르렀다.

상황이 이렇게 악화되자, 미국이나 일본 등 주요 선진국들의 중국 주재 기업들은 직원과 그들의 가족들을 대부분 본국으로 철수하도록 결정했다. 2003년 4월 3일에 미(美) 국무성은 '귀국허가지침'(Authorized Departure)을 발표하고, 중국 본토 전역과 홍콩 소재 미국 공관의 비(非) 필수요원과 가족 중 귀국을 희망하는 대상자는 전원 귀국하도록 했다. 그리고 4월 29일에는 일본 정부도 중국에 거주하는 일본 국민들의 사실상의 철수를 결정했다.

이렇게 되니 중국에 거주하는 우리 기업인들과 교민들, 유학생들의 불안도 점차 가중되었다. 대사관에서는 재중 한국인회, 진출 기업, 유학생 등과 협력하여 '사스대책위원회'를 구성하여, 중국에 거주 또는 체류 중언 국민들의 보호를 위한 조치를 강구하기 시작했다.

그런데 상황이 점차 중국 정부의 통제 여부를 예측하기 힘든 쪽으로 전개되자, 사스대책위원회와 교민 사회에서 교민 철수 등 특단의 조치가 필요하다는 의견이 제기되었다. 철수 결정을 할 시기가 오고 있었던 것이다. 철수 명령을 내리게 되면 기업인 등 한국에 본사가 있는 사람들은 회사로부터 항공료 등을 정식으로 지급 받을 수 있기 때문에 철수 명령이 필요했던 것이다. 그래서 나는 이미 오랫동안 이에 대한 기도를 해오고 있었다.

4월 중순 어느 날, 나는 하나님께 간절히 기도했다.

'하나님, 저도 다른 나라처럼 교민들의 철수 명령을 내리겠습니다.'

'철수하지 마라.'

나는 다시 하나님께 기도했다.

'교민들이 모두 불안해하며 대사관에서 철수에 대한 지침을 내려

주기를 기다리고 있습니다.'

'내가 이 땅에 있는 너희 국민 어느 누구도 그 병에 걸리지 않도록 할 것이니, 너희들은 이 땅을 떠나지 말라.'

우리 국민 어느 누구도 사스에 걸리지 않게 하시겠다는 말씀을 듣자 나는 마음이 놓였다. 그 후 나는 기도할 때마다 하나님께서 하신 말씀에 확신을 가지게 되면서 담대한 마음이 생겼다.

두려워하지 말라 내가 너와 함께함이라 놀라지 말라 나는 네 하나님이 됨이라 내가 너를 굳세게 하리라 참으로 너를 도와주리라 참으로 나의 의로운 오른손으로 너를 붙들리라 사 41:10

환상 속 총리의 눈물

하나님께서 우리 교민들을 중국에서 철수시키지 말라는 마음을 주신 이후, 내 마음속에는 '내가 들은 것이 정말로 하나님의 말씀일까?' 하는 일말의 불안함이 있었다. 그런데 어느 날 아침, 기도를 하는 중에 환상을 보았다(환상을 보는 일이 내게는 아주 드문 일로 지금까지 몇 번밖에 본 적이 없다). 넥타이를 맨 점잖은 한 신사가 울고 있는데 얼굴은 보이지 않지만 중국인이라는 생각이 들었다.

하루는 우연히 중국 텔레비전 뉴스에서 원자바오(溫家寶) 총리가 "나는 잠자리에서 사스로 고통받는 인민들을 생각하며 자주 눈물을 흘립니다"라고 말하는 장면을 보았다. 그 순간 나는 환상으로 본 신사가 원 총리라는 것을 알았다. 하나님께서 나로 하여금 교민들을 철수시키지 않은 것이 옳은 결정이라는 것을 확증시켜주시기 위해 환상을 보여주셨다는 생각이 들었다.

그 후에도 신문과 방송에서 원 총리에 관한 뉴스를 많이 접하게 되었다. 사스가 한창일 때 그는 사스 발생 지역을 돌아다니며 중국 인민들을 위로하고 격려했다. 또한 베이징대학 학생들과 만난 자리에서 그는 목이 메는 소리와 벌겋게 된 눈으로 사스에 대한 걱정으로 밤잠을 못 이루며 하염없이 눈물을 쏟기도 한다고 말했다. 그러면서 그는 이렇게 말했다.

"우리는 하늘을 원망하거나 사람을 탓하지 않으며 도전을 받아들이고 있습니다. 나는 4월 말 프랑스 총리를 환영하는 환영식에서 눈앞에서 펄럭이는 오성홍기(五星紅旗, 중국 국기)를 보면서 눈시울을 붉혔습니다. 나는 그때 중화민족이 지난 수천 년간 수많은 어려움을 겪었어도 한 번도 쓰러진 적이 없으며, 좌절을 겪으면 겪을수록 더욱 용감했고 고군분투했다는 생각을 하게 되었습니다. 나는 이번 재난을 겪은 후에 우리 중국 인민들이 더욱 일심단결하고 강건해질 것을 믿습니다."

나는 원 총리의 말과 행동을 보면서 중국이 앞으로 반드시 사스를 퇴치할 것이라는 확신을 갖게 되었다.

한국인은 사스에 걸리지 않습니다

하나님의 말씀과 보여주신 환상을 통해 사스 퇴치의 확신을 갖게 된 나는 직원 전체회의를 소집했다. 회의가 시작되자 직원들이 교민 철수에 따른 각종 준비 상황을 보고하기 시작했다. 한 직원이 현재 상황과 전세기 운항 스케줄 등을 보고했다. 나는 보고를 중단시키고 물었다.

"지금 도대체 무슨 말을 하는 겁니까?"

직원들은 도리어 내가 무슨 말을 하는지 모르겠다는 듯 잠잠했다.

"대체 누가 철수 명령을 내렸습니까? 철수 명령 같은 중요한 결정은 대사인 내가 하는 것인데, 누가 이런 결정을 했습니까?"

직원들은 난감한 표정으로 나를 쳐다보았다.

"개인적으로 떠난다면 모를까, 나는 어떤 경우에도 교민들의 철수 명령을 내리지 않을 것입니다."

"대사님, 무슨 말씀이십니까? 지금 교민들, 기업인들, 유학생들 모두 몹시 불안해합니다."

"사스가 아무리 심해도 우리 한국인들은 단 한 명도 사스에 걸리지 않을 것입니다. 만일 그런 일이 발생한다면, 모든 책임은 대사인 내가 질 것입니다. 중국인들이 어려울 때 놔두고 가버리면 나중에 돌아와서 어떻게 이들을 봅니까? 우리가 남아서 이들을 격려하고 도와줘야 이들이 감사하게 생각해서 우리가 여기서 뭘 하든지 좋은 관계를 유지하면서 할 수 있지 않겠습니까?"

"대사님, 그래도 이건 허락해주셔야 합니다."

직원들의 의견도 강경했지만 나 또한 하나님께서 확신을 주신 일이라 뜻을 굽히지 않았다.

"한국과 중국의 관계는 특수합니다. 중국과 지리적으로 가장 가까운 한국이 철수하면 다른 나라에 주는 영향이 큽니다. 우리가 움직이면 먼 데 떨어진 사람들에게조차 중국의 위험성을 더 부각시키기 때문입니다. 어려운 시기에 있는 중국 입장을 더욱 난처하게 만들지 말고, 어떻게든 중국의 사스 퇴치 노력에 도움을 줘야 합니다. 나는 중국 정부의 능력을 믿습니다. 중국 정부는 틀림없이 사스를 통제할 것입니다. 우리는 이런 때일수록 중국인들과 고난을 함께해야 합니다. 어려울 때 친구가 진짜 친구입니다. 우리는 지금 이 어려운 시기를 한중관계의 중요한 전기로 만들어야 합니다."

나는 이렇게 강조하고 회의를 끝냈다.

잠시 후 사스 관련 업무를 총괄하는 조환복 경제공사(현 주멕시코대사)를 비롯한 몇몇 간부들이 내 사무실로 찾아와 말했다.

"중국을 사랑하는 대사님의 마음은 저희들도 충분히 이해합니다. 그러나 지금은 사태가 아주 심각합니다. 만일 그러시다가 교민 중에 사스 환자라도 발생하면 어쩌려고 그러십니까?"

나는 분명히 대답했다.

"그런 일은 없을 겁니다. 만일 그런 상황이 오면 내가 모든 책임을 지겠습니다."

며칠 후 다시 직원 전체회의가 열렸다. 나는 지난번과 같이 직원들에게 교민 철수가 안 되는 이유와 중국 정부에 대한 신뢰, 한중관계의 중요성과 금번 우리의 행동이 앞으로 양국 관계에 미칠 영향 등에 관해 다시 한 번 상세히 설명하고, 직원들의 이해와 협조를 당부했다.

나는 회의를 마치고 나오면서, 직원들의 마음이 변하고 있다는 것을 느꼈다. 하나님께서 그들의 마음을 만지신 것이었다.

중국을 감동시키다

이후 우리는 발 빠르게 움직였다. 먼저 대사관 전 직원이 개인적으로 돈을 모아 3900달러를 만들었다. 그리고 대사관 직원 부인회가 모금한 1000달러를 합쳐 4900달러를 베이징시위생국에 전달했다. 외국의 기업이나 교민들이 중국을 떠나는 시점에 한국대사관 직원과 가족들이 성금을 모아 전달한 것이 중국 언론에 보도되었으며, 많은 중국인들이 감동을 받았다.

나는 사스 사건이 그해 3월에 구성된 중국 신(新)정부가 처음 맞는 사회경제적 위기로서 모든 지도자들이 노심초사하고 있는 점을 감안해서 우리 대통령과 국무총리의 위로 또는 격려 전문(電文)과 정부 차원에서 성금을 전달할 것을 본부에 건의했다. 즉각 조치가 취해졌다.

노무현 대통령이 후진타오(胡錦濤) 주석에게 전화를 하여 사스에 관련해 위로를 하는 동시에 고건 총리 명의의 위로 전문을 원자바오 총리 앞으로 보냈다. 그리고 우리 정부는 중국 정부의 사스 퇴치를 지원한다는 상징적 의미로 10만 달러의 성금을 보냈다. 대사관에서 중국 정부에 이 사실을 통보하자 민정부장이 이 돈을 직접 받겠다고 알려왔다. 나는 4월 30일 아침에 중국 민정부(民政府, 우리나라의 과거 내무부 성격의 부서)를 방문하여 성금을 전달했다.

그 자리에서 민정부장이 말했다.

"중국이 어려운 상황에 처해 있을 때, 김 대사가 친히 민정부를 찾아와 지원금을 전달해주어서 한국 정부와 대사관에 대하여 중국 정부를 대신하여 사의를 표합니다. 이러한 한중의 우정을 여러 경로를 통해 널리 알리겠습니다. 금번 일로 양국 간의 우의가 계속 발전해나갈 것으로 믿습니다."

이와 함께 대사관의 조언을 받아들인 우리 기업들도 중국에 재정적인 지원을 하면서, 사스 퇴치 운동에 참여했다. 이같은 한국인들의 적극적인 행동은 중국 정부와 중국인들에게 깊은 감동을 주었다.

사스가 퇴치된 다음, 나는 발행 부수가 230만 부 이상인 중국 최대 공산당 기관지인 《인민일보(人民日報)》 사장(장관급)과 만날 기회가 있었다. 그는 언론계를 대표하는 인사로서 한국 정부와 한국인들이 보여준 행동에 감동을 받았다며 이렇게 말했다.

"사스가 발생했을 때 한국 정부와 국민 그리고 한국대사관이 많은 도움을 주어 깊이 감사합니다. 특히 대부분의 서방국가들은 자국민들이 언제든지 중국에서 철수해도 좋다는 지침을 내렸지만, 한국의 경우에는 전혀 그러한 동요 없이 일관되게 중국을 지지하고 중국의 입장을 이해해주어 더욱 감사하게 생각합니다."

한편 당시 중국에서는 사스가 한국에서 한 건도 발생하지 않았고, 중국에 거주하는 한국인들 중에서도 사스에 감염된 사람이 한 명도 없다는 사실에 주목했다. 중국인들 사이에서는 한국인들이 김치를 먹어서 그렇다는 이야기가 돌았다. 그래서 중국 친구들에게 김치를 선물하면 아주 좋아했다. 나는 대사관 관계관에게 지시하여 한국에 김치를 대량으로 주문하게 했다. 그리고 비행기로 공수된 김치를 중국 정부와 각계 지도자 수백 명에게 선물했다. 김치를 받은 수많은 중국 고위 인사들이 나에게 감사 편지를 보내왔다. 사스라는 환난 속에서 중국과 중국인들을 감동시킨 것이다.

이 모든 일을 치르면서 나는 사람들로부터 '저 사람은 왜 저렇게 모험을 할까?', '도대체 뭘 믿고 저렇게 담대할까?' 하는 의문어린 시선을 많이 받았다. 내가 개인적으로 결정하기에는 너무나 큰 문제였던 것이 사실이다. 그러나 하나님께서 결정해주셨고 나는 따르기만 했기에 담대할 수 있었다. 어디로 가야 하는지 아는 사람, 하나님의 뜻을 아는 사람은 담대할 수 있다.

여호와를 바라는 너희들아 강하고 담대하라 시 31:24

너는 그를 따로 만날 것이라

외교통상부의 재외 공관장회의는 매년 2월에 개최된다. 2003년에는 예외적으로 노무현 대통령이 취임한 관계로 공관장회의 개최가 5월 21일부터 23일까지로 늦춰졌다.

사스가 한창이던 5월 초 외교통상부의 한 간부에게서 전화가 왔다.

"공관장회의 참석 기간 중인 5월 22일 저녁에 청와대에서 대통령 주최 만찬이 있습니다. 거기에 참석하려면 사스 발생 지역에서 오시는 주중대사는 격리 기간이 필요하니 회의 시작 2주 전인 5월 9일까지는 귀국해주십시오."

당시 중국에 살던 사람이 한국에 가면 사스 감염의 위험이 있기 때문에 이런 연락이 온 것이다.

나는 이미 이 문제를 두고 기도하고 있었다. 그날 저녁 나는 하나님께 청와대 만찬에 참석하기 위해서 서울에 일찍 들어가겠다고 말씀드렸다. 그러나 하나님께서는 미리 들어가지 말라고 하셨다. 그래서 나는 본부 간부에게 연락을 했다.

"대사관 일이 바빠 일찍 들어가기가 곤란하기 때문에 저는 예정대로 들어가겠습니다."

"아… 그러십니까?"

그는 내 말에 놀라는 것 같았다.

며칠 후 본부 차관에게서 전화가 왔는데 같은 이야기를 했다.

"대사관 일이 그렇게 바쁘면 늦게 들어와도 좋지만, 대통령이 주최하는 청와대 만찬에 참석하지 못할 텐데요…."

나는 잘 알고 있으며, 청와대 만찬에 참석하지 못하더라도 상관없다고 대답했다. 그리고 집에 돌아와 하나님께 기도했다.

'하나님, 제가 말씀에 순종해서 일찍 들어가지 않겠습니다만, 사실 주중대사가 새로 취임한 대통령을 못 만나고 임지로 돌아오는 것은 좀 이상합니다. 하나님, 지금이라도 서울에 빨리 들어가야 하지 않겠

습니까?'

그때 하나님께서 나에게 이렇게 말씀하셨다.

'너는 그를 따로 만나게 될 것이라.'

나는 하나님의 계획하심이 있음을 알게 되었다. 그래서 그때부터 혼자서 대통령께 드릴 보고서를 만들기 시작했다.

5월 15일에 서울에 오니 본부의 여러 사람들이 나에게 말했다.

"대통령이 새로 취임했는데, 주중대사가 대통령 얼굴도 못 보고 임지로 돌아가면 안 되는 것 아닙니까?"

"글쎄, 무슨 방법이 있겠지요."

나는 그저 빙긋이 웃으면서 이렇게 대답할 수밖에 없었다.

5월 22일 만찬 당일 120여 명의 공관장들이 부부 동반으로 숙소인 신라호텔에서 버스를 타고 청와대로 떠났다. 나와 아내는 방에서 룸서비스로 설렁탕을 시켜 먹었다. 아내가 말했다.

"당신이 기도해서 정했다고 하지만, 이건 좀 심하지 않아요?"

나는 아내를 위로했다.

"여보, 아무 걱정하지 말아요. 며칠 있으면 다 알게 되니까."

다음 날 회의에 참석하니 다른 공관장들이 나를 아주 안됐다는 표정으로 위로했다. 그들은 내가 사스 지역에서 온 것도 억울한데 청와대 만찬까지 참석하지 못했으니 불쌍하다고 생각하는 것 같았다. 나는 회의에 참석하면서도, 언제 연락이 오나 하고 기다렸다.

드디어 그날 오후에 청와대에서 연락이 왔다.

"다음 주 월요일인 26일 오전 11시 30분까지 청와대로 들어오십시오. 대통령님이 별도로 보고를 받으시겠답니다."

'아, 하나님 감사합니다. 드디어 대통령을 만나게 해주시는군요.'

나는 하나님의 살아계심을 다시 확인하면서 온몸에 전율을 느꼈다.

사람보다 하나님께 순종하는 것이 마땅하니라 행 5:29

담대한 보고

그런데 청와대 의전비서실에서 연락이 왔다.

"대사님! 상부 지시입니다. 중국에서 아직 사스가 심하니 대통령께 보고하실 때 중국 가시는 문제는 이야기하지 마시랍니다."

나는 알았다고만 대답했다. 사실 노무현 대통령의 방중(訪中) 문제는 취임 이후 계속 검토되어 왔다. 그리고 중국 측에 7월 초 대통령의 방중 가능성을 타진하면서도, 사스의 심각성 때문에 최종적인 결정은 못하고 있었다.

그날 저녁, 나는 하나님께 여쭈었다.

'대통령 방중을 7월 초로 계획하고 있는데, 사스가 계속되고 있으니 11월쯤 추진하면 어떨까요?'

하나님께서 대답을 하지 않으셨다.

'그럼 10월에 할까요?'

'…'

'그럼 9월로 할까요?'

'….'

'그럼 8월은….'

'….'

'그러면 원래대로 7월 초로 할까요?'

'그래.'

나는 기도응답을 두고 곰곰이 생각했다.

'대통령의 방중을 7월 초에 예정대로 하라고 하시는 것은 무슨 뜻일까?'

그것은 사스가 6월 말에는 진정된다는 의미였다. 그렇지 않으면 이 일을 추진할 수 없기 때문이다. 나는 이런 확신을 가지고 담대히 대통령의 방중을 건의하기로 결심했다.

5월 24일 토요일 아침, 혼자서 외교통상부 동북아2과(현 중국과)로 갔다. 타자수와 한두 명의 직원들이 출근해 있었다. 나는 그곳에서 혼자서 타자를 쳐서 보고서를 만들었다. 보고서에는 사스가 6월 중에는 거의 진정될 것임으로 예정대로 7월 초 대통령의 방중을 건의하는 내용과 당시 중국 정부의 한국에 대한 기대와 대통령 방중으로 예상되는 외교적인 성과 등이 포함되어 있었다.

이틀 후 나는 청와대로 갔다. 의전비서실의 국장은 내게 상부의 지시를 강조하면서 대통령의 방중 문제를 거론하지 말아달라고 거듭 요청했다. 나는 그에게 말했다.

"청와대에서 어떻게 생각하든, 나는 현지 대사로서 대통령께서 예정대로 중국을 방문하시도록 건의할 겁니다."

그리고 외교보좌관, 의전비서관과 함께 대통령 집무실로 들어갔다.

보고가 시작되고, 나는 준비한 대로 대통령의 7월 초 방중을 건의했다. 노무현 대통령께서 보고서의 내용을 찬찬히 보시더니 내게 물으셨다.

"사스가 6월 말에 진정될 것이라는 것을 대사는 어떻게 알지요?"

내가 대답했다.

"대통령님, 저는 중국에 주재하는 대사이고 중국 전문가입니다. 현지 대사의 말을 믿어주십시오."

대통령은 사스에 관해 더 묻지 않고 알겠다고만 말씀하셨다.

그리고 몇 가지 보고를 마친 다음 밖으로 나왔다. 복도에서 배석자 중의 한 명이 말했다.

"김 대사님, 정말 대단하십니다."

사스 때문에 대통령께 보고하지 말아달라고 미리 이야기했는 데도 내가 굳이 보고한 것을 말하는 것 같았다. 내가 말했다.

"절대 걱정하지 마십시오. 아무런 문제도 없을 것입니다."

외교통상부로 돌아오자 간부들은 내가 대통령에게 무엇을, 어떻게 보고했는지 궁금해했다.

"대통령께 중국 가시는 거 말씀드리셨어요?"

"네."

"어떻게 말씀드리셨어요?"

"7월 초에 오시라고 했습니다."

"사스는요?"

"6월 말에 끝날 거니까요."

"안 끝나면요?"

"끝납니다."

"아니, WHO에서도 발표한 적이 없는데 대통령께 그렇게 보고드리셔서 방중을 추진하다가, 만일 6월 말에 사스가 진정이 되지 않으면 어떡하시려고요?"

내가 대답했다.

"그야 현지 대사가 책임을 져야지요. 그런 문제가 발생한다면 모든 책임은 내가 지겠습니다."

내가 전적으로 책임을 지겠다고 하니까 아무도 이 문제를 더 이상 거론하지 않았다. 나는 본부에 7월 초 방중 준비를 위한 시간이 촉박하니 가능한 빨리 일자를 확정하여 지침을 달라고 요청하고 5월 30일에 베이징으로 돌아왔다.

사스가 진정되다

드디어 6월 4일에 본부에서 지침이 내려왔다. 대통령이 7월 7일부터 10일까지 중국을 국빈 방문한다는 것이었다. 나는 즉시 이 사실을 중국 외교부의 고위 간부에게 전화로 통보했다. 외교부 간부는 노 대통령의 방중을 환영한다고 하면서, 지난 4월 말 프랑스 총리와 5월 중순 루마니아 총리의 방중이 있기는 했지만, 사스 발생 이후 외국 국가 원수로서는 최초의 방중이므로 중국 정부로서 국빈 방문에 소홀함이 없도록 만반의 준비를 다하겠다고 말했다.

나는 곧 대사관 내에 '대통령 방중 행사 준비를 위한 대책반'을 가동했다. 그러면서 하루에도 몇 번씩 무릎을 꿇고 하나님께 간구했다. 말은 그렇게 담대하게 했지만 사실 마음으로는 걱정도 되고 초조했다.

'하나님, 6월 말까지 사스를 어떻게든 꼭 진정시켜주십시오.'

만일 그때까지 사스가 진정되지 않아 대통령 방중이 이루어지지 않는다면 내가 어떤 형식으로든지 책임을 질 수밖에 없었다.

나는 아내에게 기도 부탁을 하며 말했다.

"여보! 이제 기도밖에 없어요. 대통령의 방중이 잘못되면 우린 바로 소환(召還)이야. 반드시 그 전에 사스가 끝나야 돼요."

나와 아내는 하나님께 간절히 기도했다.

그런데 정말 놀랍게도 6월 13일에 중국의 톈진시(天津市), 허베이성(河北省), 산시성(山西省)과 네이멍구자치구(內蒙古自治區)에 대한 여행 제한이 해제되었다. 그리고 24일에는 중국에서 유일하게 남아 있던 베이징시에 대한 여행 제한도 해제되었다. 중국 정부가 사스를 완전 통제함에 따라, 사스가 진정된 것이다.

'오, 할렐루야! 하나님, 감사합니다. 정말 감사합니다!'

나는 그 소식을 들으면서 얼마나 하나님께 감사했는지 모른다.

드디어 7월 5일에 WHO에서 사스가 세계적으로 완전히 통제되었음을 선포했다. 노무현 대통령이 베이징에 도착하기 불과 이틀 전이었다.

대통령의 중국 방문이 예정대로 진행되었다. 베이징 수도공항에서 대통령을 모시고 숙소인 따오위타이(釣魚臺, 국빈관)에 도착하니, 대통령께서 "김 대사는 가지 말고 잠시 나하고 차 한잔 하시지요" 하며 웃으면서 말씀하셨다.

"아무리 중국 전문가라고 해도 어떻게 사스 끝나는 것까지 아십니까?"

나도 웃으면서 대답했다.

"그래서 제가 현지 대사를 믿어달라고 말씀드리지 않았습니까?"

대통령은 또 한 번 크게 웃으셨다.

3박 4일간의 모든 일정을 마치고 상하이에서 대통령 일행을 전송한 다음, 나는 호텔로 돌아와 무릎을 꿇고 하나님께 깊은 감사의 기도를 드렸다.

사스가 시작된 후 우리 교민들이 철수하지 않도록 하신 일과 내가 청와대 만찬에 참석하지 못하게 하신 일, 대신 대통령과 따로 만날 수 있도록 해주셔서 대통령의 7월 초 중국 방문을 건의하게 해주신 일, 그리고 사스를 6월 말에 진정시키심으로 대통령 방중이 성사될 수 있도록 역사해주신 하나님의 세심한 이끄심에 감사를 드리지 않을 수 없었다.

신실하신 하나님께서는 혹시라도 하나님의 말씀을 잘못 들어 세상 사람들로부터 부끄러움을 당하지 않을까 하고 걱정했던 나를 끝까지 지키고 보호해주셨다. 그리고 사스라는 환란을 통해 중국과 중국인들의 마음을 얻는 승리를 나에게 안겨주셨다. 나는 그와 같은 하나님을 찬양하면서, 중국 땅과 중국인들을 더욱 축복해주실 것을 간구했다.

또한 몇 달 동안 사스 관련 업무로 누구보다 많은 고생을 한 조환복 경제공사와 전은숙 식약관(현재 식약청 위해예방정책국장)을 비롯한 대사관 관계 직원들을 위로하고 축복해주시기를 기도했다.

사람을 두려워하면 올무에 걸리게 되거니와 여호와를 의지하는 자는 안전하리라 잠 29:25

그(하나님)가 너를 위하여 그의 천사들을 명령하사 네 모든 길에서 너를 지키게 하심이라 시 91:11

하나님의 계획

중국에 대사로 부임한 해인 2001년 12월에 집안일 때문에 한국에 잠시 들른 아내는 일대일 양육자인 권사님의 소개로 예수세계교회의 이광섭 목사님께 기도를 받게 되었다.

이 목사님은 아내가 어떤 사람인지, 남편인 내가 무엇을 하는 사람인지에 대한 아무런 사전 지식도 없으셨는데, 기도 중 "지금 남편 분이 김일성 광장에 있는 환상이 보입니다"라고 말씀하셨다. 그래서 아내가 "맞습니다. 제 남편이 북한에 간 적이 있습니다"라고 했더니 목사님은 "지금 말씀드리는 것은 과거의 일이 아니고 앞으로의 일입니다"라고 하셨다. 아내는 목사님이 혹시 착각하신 것이 아닌가 해서 이렇게 말했다.

"사실은 제 남편이 중국에서 근무를 하는데 목사님께서 천안문 광장에 있는 마오쩌둥(毛澤東) 초상화를 잘못 보신 것 아닌가요?"

"틀림없이 김일성 초상화가 걸려 있는 김일성 광장입니다. 앞으로 당신 남편은 북한에 관련된 일을 할 것입니다. 그것도 아주 깊은 연관이 있는 일을 하게 될 것이고, 그것은 중요한 일의 시작이 될 것입니다."

아내가 베이징으로 돌아와 이 이야기를 할 때 나는 마음속에 그 말을 잘 담아두었다. 그러던 중 2002년 3월 탈북자들의 스페인대사관 진입을 신호탄으로 하여 5월부터 탈북자들이 우리 대사관 영사부에 진입하기 시작했다. 그리고 나는 주중대사로 재임하는 기간 내내 6자회담을 비롯하여 북한과 관련된 수많은 일을 경험하게 되었다. 특히 2008년 3월 초 남북관계를 총괄하는 통일부 장관으로 임명되었을 때, 나는 이 목사님이 말씀하신 김일성 광장의 환상을 생각하면서 하나님의 계획에 대하여 많은 생각을 하게 되었다.

주 여호와께서는 자기의 비밀을 그 종 선지자들에게 보이지 아니하시고는 결코 행하심이 없으시리라 암 3:7

준비시키시는 하나님

나는 1992년 2월부터 3년 동안 주중대사관에서 정무공사로 근무했다. 당시만 해도 중국과 북한과의 관계가 좋았고, 북한의 경제도 지금

처럼 나쁘지 않았기 때문에 북한을 탈출하는 주민들의 수가 많지 않았다.

그러다가 1992년 8월, 한중수교 이후부터 탈북자들이 가끔 우리 대사관을 찾아왔다. 하지만 당시 대사관에서 탈북자를 받아들이는 일은 현실적으로 매우 어려웠다. 한중관계가 막 시작될 무렵이라 중국 정부가 탈북자 문제에 대하여 어떻게 나올지 모르고, 중국에서 북한의 활동이 요즘처럼 위축되어 있지 않고 활발할 때였다. 그래서 탈북자들이 들어와도 "지금은 우리가 도와줄 수 있는 방법이 없으니 이해하라"라며 차비를 줘서 돌려보낼 수밖에 없었다.

1995년 1월에 중국 근무를 마치고 나는 외무부로 돌아와서 아태국장을 하다가 1997년부터 외무부 장관 특별보좌관으로 근무하던 중 북한 고위급 인사였던 황장엽 망명 사건을 처리한 것은 앞에서 말한 바 있다.

시간이 흘러 내가 주중대사로 부임한 2001년 10월에는 이미 탈북자 문제가 민감하고도 복잡한 문제로 부각되어 있었다. 이듬해 3월 14일에는 베이징 주재 스페인대사관에 25명의 탈북자들이 진입하는 사건이 일어났다. 한두 명이 아니라 25명이나 되는 탈북자가 한꺼번에 들어간 이 사건에 전 세계의 이목이 집중되었다. 우리는 스페인대사관 측과 접촉하고, 스페인대사관 측은 중국 외교부와 긴밀히 협조하여, 중국 정부가 다음 날 탈북자 전원을 필리핀을 거쳐 한국으로 보내는 쪽으로 사건은 정리되었다.

그런데 그해 5월, 선양(瀋陽)에 있는 일본총영사관에 5명의 탈북자가 진입을 시도하다가 3명은 실패하여 중국 공안(公安)에 붙잡히고, 진입에 성공한 다른 가족 2명도 중국 공안이 일본총영사관에 들어가 연행해가는 사건이 발생했다. 그들은 2001년 6월 베이징의 유엔난민고등판무관실(UNHCR)에 진입해 탈북자 망명 사건으로 국제적인 관심을 불러일으킨 일명 '길수 가족'의 친척이었다.

이후 선양에 있는 미국총영사관과 베이징에 있는 캐나다대사관에도 탈북자들이 진입하는 사건이 연이어 발생했다. 이런 일이 생길 때마다 우리는 각 대사관들과 협조를 해서 탈북자들을 전부 한국으로 보냈다. 그러면서 나는 앞으로 다가올 일이 염려되었다.

'아! 이제는 탈북자들이 한국대사관에 들어오겠구나. 그러면 어떻게 할까?'

탈북자들이 한국대사관에 들어오게 되면 우리가 중국 정부와 직접 교섭을 해야 했다. 그러나 다른 나라와 달리 남북이 대치하는 상황에서 북한의 입장을 고려할 수밖에 없는 중국과의 협상에 여러 가지 어려움이 예상되었다. 그래서 대사관의 많은 직원들이 탈북자 진입을 허가할 경우 파생되는 중국과의 외교적 파장을 우려했다.

그러나 이미 탈북자들이 서방 선진국 대사관이나 총영사관에 진입하여 한국에 간 이상, 우리 대사관이 그들의 진입을 거부하기가 어려웠다. 나는 이 문제를 가지고 하나님께 끊임없이 기도했고, 기도할 때마다 하나님께서는 나에게 강하고 담대하라는 마음을 주셨다. 그래서 나는 마음의 준비를 단단히 하고 기다렸다.

천 명을 구하고 싶습니다

드디어 5월 말부터 탈북자들이 우리 대사관 영사부(領事部, 비자 발급 등 민원 업무를 처리하는 부서)에 들어오기 시작했다. 중국 측과의 교섭은 예상했던 대로 힘들고 어려웠다. 나는 끊임없이 하나님께 도와달라고 간구했다. 또한 이러한 어려운 일을 당한 중국 정부를 축복해주시고, 중국의 관련 부서 책임자들이 탈북자 문제에 대하여 관용적인 자세를 가지도록 기도하는 것도 잊지 않았다.

일부 직원들은 대사관에서 탈북자를 받는 것을 탐탁지 않게 생각 했다. 그래서 나는 직원회의 때마다 왜 그들을 받아야 하는지를 강조 했다.

"이 세상에서 아무리 돈이 많은 사람도, 아무리 지위가 높은 사람도 사람의 생명을 구할 수 있는 기회는 많지 않습니다. 나는 내 인생에서 사람의 목숨을 구할 수 있는 기회를 가지게 된 것을 정말 감사하게 생 각합니다. 나는 대사로 있는 한 어떠한 상황에서도 탈북자들을 받을 것이며, 이로 인한 어떠한 어려움도 기쁘게 감수하겠습니다. 길거리 에 떠돌아다니는 탈북자들은 못 구하지만, 일단 우리 대사관에 발을 들여놓는 탈북자들은 중국 측의 협조를 확보해서 반드시 서울로 보낼 것입니다. 나는 가능한 한 많은 사람들을 구하고 싶습니다. 그래서 내 가 대사로 있는 동안에 천 명의 탈북자들을 구할 수 있게 해달라고 하 나님께 기도하고 있습니다. 여러분도 나와 함께 이들의 생명을 구합 시다."

내가 천 명이라는 숫자를 이야기한 것은 '쉰들러 리스트'를 생각했기 때문이었다. 2차 세계대전 당시 평범한 사업가였던 오스카 쉰들러가 아우슈비츠 수용소로 이송되어 죽음을 앞둔 1000여 명의 유태인을 구한 실화를 생각하면서, 나도 그만큼의 탈북자들을 살리고 싶었다.

물론 탈북자 문제와 쉰들러 리스트를 비교할 수는 없다. 당시 중국 정부는 탈북자 문제에 매우 협조적이었기 때문이다. 그러나 여러 가지 환경적인 요소 때문에 어쩔 수 없는 측면이 있음을 알기에 나는 오히려 중국 정부의 협조에 감사하고, 중국에 주재하는 대사로서 우리로 인하여 그들이 받는 불편과 피해에 대해 미안하게 생각했다.

그렇게 탈북자들을 받아들이기 시작하여 2003년 9월 말이 되자 우리가 수용하고 보호 중인 탈북자의 수가 112명에 달했다. 영사부에서 탈북자를 수용할 수 있는 적정 인원이 50~60명 정도인데 그 두 배 가까이 되다보니 영사부의 고유 기능을 수행하는 것이 사실상 불가능했다. 하지만 중국 정부로부터 더 이상의 신속한 협조를 기대하는 것은 현실적으로 어려운 상황이었다.

영사부 문을 닫다

나는 영사부를 잠정적으로 폐쇄하는 것이 최선의 대안이라는 생각이 들었다. 이 문제를 두고 대사관의 간부들과 여러 차례 협의를 했다. 대부분의 간부들은 그럴 경우 중국 정부가 어떻게 나올지를 우려하면서 소극적인 태도를 보였다. 본부에서는 현지 대사관에서 알아서 처리하라는 입장이었다.

결국 내가 결단을 내려야 할 상황이었다. 나는 기도하고 또 기도했다. 그렇게 수없이 기도를 하는 중에 하나님께서 계속 나에게 강하고 담대하라고 말씀하시며, 영사부를 폐쇄해도 좋다는 마음을 주셨다. 나는 기도의 응답으로 알고 그렇게 하기로 결정했다. 그리고 2003년 9월 29일에 중국 외교부에 다음과 같은 공문을 보내고, 외교부 측의 깊은 이해를 요청했다.

"현재 수용 중인 탈북자 수가 당관(當館)의 수용 능력을 상당히 초월하여 영사부를 폐쇄하지 않을 수 없는 상황에 이르게 되었음."

그와 동시에 나는 중국 외교부 고위 간부들과 만나 우리의 입장을 설명하고, 10월 7일부터 영사부를 잠정적으로 폐쇄하겠다고 통보했다. 민원인들에게 영사부가 잠정 폐쇄될 예정임을 공지하고, 베이징 주재 한국 특파원들에게도 이와 같은 상황을 설명했다. 이런 사항이 알려지자 한국에서는 언론들이 "한국영사관 업무 중지"라는 제목으로 주중대사관 영사부의 민원 업무 중단을 대대적으로 보도하기 시작했다.

본부에서는 영사부 폐쇄로 인한 외교적 파장을 우려하는 연락이 왔다. 나는 이미 현지 대사관에서 모든 것을 충분히 검토하여 결정한 만큼 아무 걱정 말라고 대답했다. 그리고 하나님께 간절히 기도했다.

'하나님, 이 문제가 두 나라의 외교 문제로까지 비화되지 않고 원만하게 해결되도록 도와주십시오. 그리고 중국 정부의 지도자들과 관련 부서 책임자들의 마음을 움직여주십시오.'

얼마 후 중국 측에서 우선 탈북자를 몇 명 정도 보내주면 영사부를 다시 열 수 있겠느냐는 연락이 왔다. 할렐루야! 나는 하나님께 감사기도를 드렸다.

중국 측은 29명의 탈북자들의 출국을 허가해주었고, 우리는 영사부를 폐쇄한 지 2주 만에 민원 업무를 재개할 수 있었다. 중국 정부가 탈북자들의 출국을 빨리 허가해주지 않는다고 영사부를 폐쇄한 것에 대해 외국 대사관들은 놀라움을 금치 못했다. 그들이 놀라는 것은 어쩌면 당연했다. 그것은 보통의 외교적 기술만으로 가능한 일이 아니기 때문이었다. 오직 기도로 준비하며 하나님이 담대함을 주시고, 중국 정부의 지도자들과 관련 부서 책임자들의 마음을 움직여주셨기에 가능한 일이었다.

대사관의 비상대기조

탈북자 문제는 중국과의 교섭도 무척 어려웠지만, 이로 인한 영사부 직원들의 고생 또한 말로 다할 수 없었다. 매일 평균 수십 명에서 때로는 백 명이 넘는 탈북자들과 함께 생활하며 각자의 업무를 수행해야 했기 때문이다.

탈북자들이 거주할 장소를 마련하기 위해 직원들이 사무실을 내주고 복도로 나올 수밖에 없었고, 그들을 매일 먹이고 입히는 것도 보통일이 아니었다. 더구나 수십 명이 넘는 사람들이 밖에 나가지도 못하고 갇혀 있다시피 하니 예민해져서 수시로 크고 작은 사고가 발생했다. 또 사스가 한창 유행일 때는 혹시라도 탈북자들 사이에서 질병이 발생할까봐 내내 노심초사했다.

그러나 총영사를 비롯한 전 직원들이 혼신의 힘을 다하여 그들을 돌봐주었다. 나도 주중대사로 있는 동안 출장을 제외한 휴일이나 주일에도 늘 출근했다. 항상 대기하면서 일이 발생하면 총영사와 함께 바로 필요한 조치를 취하기 위해서였다. 나와 총영사, 영사부 직원들은 그야말로 대사관의 비상대기조였다.

물론 탈북자 문제의 심각성을 이해하지 못하는 일부 대사관 직원들은 대사가 1년 내내 사무실에 나오는 것을 이상하게 여기기도 했다. 외부에서는 대사가 휴일도 없이 출근하여 직원들을 혹사시킨다는 소문이 돌았다. 하지만 나는 '탈북자 문제 때문'이라는 말의 민감성을 고려해 아무런 설명이나 대응도 하지 않았다.

2008년 통일부 장관으로 임명되어 중국을 떠나면서 나는 영사부 직원들로부터 재임 기간 중 처리한 탈북자 문제에 관한 현황을 보고받았다. 전체 재임 기간 중에서 2002년 5월부터 2008년 2월까지 5년 9개월 동안 탈북자들이 대사관 영사부에 진입한 건수가 430여 번이었고, 한국으로 보낸 탈북자들이 1060여 명이었다. 나는 이 숫자를 보고 놀라지 않을 수 없었다. 하나님께서 내가 대사로 있는 동안 천 명의 목숨을 구하게 해달라고 간구한 그대로 들어주신 것이었다.

또한 430번 이상 들어온 탈북자 문제를 다 해결했다는 것은 중국의 관련 부서들과 수천 번이 넘는 접촉과 교섭을 했다는 뜻이다. 그 많은 접촉과 교섭을 거쳐 대사관에 진입한 탈북자들을 전부 한국으로 보내는 일은 우리가 중국 측과 교섭하는 동안에 하나님께서 그들의 마음을 움직여주시지 않았으면 할 수 없는 일이었다.

나는 보고를 받고 난 다음에 혼자 무릎을 꿇고 기도에 응답해주신 하나님께 감사의 기도를 드렸다. 그리고 하나님께서 우리 대사관에서 보낸 1000여 명의 탈북자 이외에도 중국을 거쳐 제삼국을 통해 한국으로 간 수많은 탈북자들로 인해 중국 정부와 관련 부서 직원들이 겪은 고통과 어려움을 위로해주시고 그들을 축복해주시기를 간구했다.

그리고 탈북자 문제를 원만하게 처리하기 위해 헌신적으로 일한 이준규 총영사(현재 외교통상부 재외동포영사대사), 유주열 총영사(현재 은퇴), 이경수 총영사(현재 주캄보디아대사), 전태동 총영사(현재 주시안총영사)를 비롯한 영사부 직원들에게 깊은 감사와 함께, 하나님께서 그들을 축복해주실 것을 기도했다.

이상한 꿈

2003년 1월이었다. 아내가 장인의 추도식 때문에 한국에 잠시 들어갔다가 이광섭 목사님을 다시 만날 기회가 있었다. 이 목사님은 아내를 보더니 전날 밤에 꾸신 이상한 꿈 이야기를 하셨다. 그리고 그 꿈에 해당하는 사람을 기다리고 있었다고 하면서, 아내가 바로 그 사람이라고 했다.

꿈의 내용은 이러했다. 목사님의 꿈속에서 두 사람이 죽어서 매장을 했는데 누군가가 무덤 속에 들어가서 그 두 사람을 툭툭 치니까 일어났고, 그 사람이 죽었던 두 사람을 데리고 나오더라는 것이었다.

이어서 목사님이 이렇게 말씀하셨다.

"이 꿈은 누군가를 살리는 꿈인 것 같은데 아마 당신의 남편이 그 사람들을 살려야 할 것 같습니다. 이 사람들이 누군지는 모르지만 나쁜 일을 한 사람들인 것 같고, 하나님께서 그들을 살리시려는 이유는 그들 중의 하나가 예전에 하나님을 믿었던 크리스천이기 때문입니다. 그런데 하나님께서 이상하게도 그를 '날라리 크리스천'이라고 하셨습니다."

아내가 전해주는 이상한 이야기를 들으며 2002년에 사형을 언도받고 산둥성과 랴오닝성(遼寧省)에 각각 수감되어 있는 한국인 사형수 두 명이 생각났다. 그들은 엄청난 양의 마약 제조 및 밀매 혐의(두 사람이 합쳐 필로폰 12킬로그램 제조, 반제품 1900킬로그램 제조 참여 및 2킬로그램 판매)로 사형을 언도받고 집행을 기다리던 사람들이었다. 그런데 2002년이 한중수교 10주년을 기념하는 해였기 때문에 우리 측에서 중국 정부에 사형을 시키지 말아달라고 요청하여 사형 집행이 1년간 유예된 상태였다.

나는 아무래도 그들인 것 같아 중국 외교부의 고위 관리들과 만나 이들에 대한 사형을 집행하지 말 것을 간곡히 요청하며 말했다.

"대한민국 정부 수립 후 한국인이 외국에서 사형당한 것은 2001년 9월 중국에서 한국인 마약 사범이 사형당한 것이 유일한 경우였습니다. 이로 인해 한국 내에서 중국에 대한 여론이 악화되고 한중관계에 상당한 여파가 발생했습니다. 그런데 2003년, 한중 양국에서 신정부가 출범하는 이런 시기에 사형을 집행할 경우 양국의 우호협력 관계에 부정적인 영향을 미칠 우려가 있다는 점을 말씀드리고 싶습니다. 더불어 한국은 1997년 이후 지난 5년간 내외국인을 막론하고 사형 집행을 한 번도 하지 않았습니다. 이는 국제적으로 사형을 폐지하는 추세와도 일치하는 것입니다. 그리고 한국에서도 마약 사범을 엄중하게 처리하고는 있지만 사형은 시키지 않습니다. 이런 내용들을 꼭 고려해주셨으면 합니다."

중국 외교부의 고위 관리들은 한국대사관의 관심 사항을 관련 기관에 전달하겠다고 대답했다. 나는 이 일을 열심히 진행했지만 이 두 사형수가 목사님의 꿈에 나온 사람들인지 확신이 서지는 않았다.

날라리 크리스천 구명하기

한 달 뒤인 2월 어느 날, 한국에서 한 국회의원이 나를 찾아와서는 이런 말을 했다.

"내 선거구에 어떤 사람이 중국에 와서 마약을 만들어 팔다가 잡혀서 사형 언도를 받았습니다. 그런데 그 부인이 새벽마다 교회에서 남편을 위한 기도를 하고 내 사무실로 와서는 눈물을 흘리며 남편을 구해달라고 하도 애원을 해서 내가 이렇게 찾아왔습니다. 대사께서 어떻게 좀 도와주십시오."

그 국회의원이 이어서 말했다.

"그런데 참 웃기는 것은 그 사람도 옛날에는 예수를 믿었답니다. 그러니까 '날라리 크리스천'이었겠죠, 뭐."

"날라리 크리스천이요?!"

그 순간 나는 '산둥성에 수감되어 있는 그 사형수가 맞구나!' 하는 확신이 들었다. 나는 그 국회의원에게 이 목사님의 꿈 이야기와 더불어 전후 상황을 이야기하면서 지금 중국 측과 교섭을 하고 있으니 한국에 돌아가면 그 부인에게 계속 기도를 하도록 권유하라고 말했다.

국회의원이 돌아간 다음, 나는 앞으로 일을 어떻게 처리해야 할지를 곰곰이 생각했다. 사형수가 크리스천이었다니 아무래도 하나님을 믿는 직원이 이 일을 전담하는 것이 좋겠다는 생각이 들었다. 당시 영사부 직원 중에 이영백 참사관(현재 경희대 객원교수 겸 외국어대 겸임교수)이 적임자였다. 그는 중국 후베이성(湖北省) 우한(武漢)에서 태어나 초등학교부터 중·고등학교까지 화교 학교를 다녔고, 대만에서 18년을 산 이후 중국 본토에서 10년째 외교관으로 근무하고 있던 우리나라 최고의 중국어 통역관이었다. 그는 당시 정년을 2년 정도 앞두고 있었다. 나는 이 참사관을 불렀다.

"이 참사관, 은퇴하기 전에 마지막으로 좋은 일 한번 하고 떠나세요. 우리 이 두 생명을 살립시다. 기도하면서 노력하면 반드시 살릴 수 있을 거예요. 먼저 산둥성에 수감되어 있는 사형수부터 살립시다."

나는 그에게 꿈 이야기와 함께 사형수 구명에 대해 진지하게 말했다. 그가 내 말을 다 듣고 나서 말했다.

"불쌍한 영혼을 동정하시는 대사님의 마음은 십분 이해합니다. 그러나 중국에서는 50그램의 마약만 제조해도 사형에 처하는 규정이 있습니다. 자료를 보니 그 사형수는 혼자서 3600그램이나 제조하고 게다가 판매까지 했습니다. 제 생각에 그를 살린다는 것은 불가능합니다."

나는 하나님께서 주신 확신을 가지고 다시 한 번 권유했다.

"하나님이 그를 살리길 원하시니 살려주실 것입니다. 한번 해봅시다."

"대사님이 그렇게까지 말씀하시니, 성심껏 노력해보겠습니다."

나는 우선 중국 외교부와 관련 부서의 고위 인사들을 찾아다니며 설득했다. 그리고 본부에 중국과 중요한 회담이 있을 때 이 문제를 제기하도록 건의했다. 사형수 면회 등 개인적인 사항은 이 참사관이 전담했는데, 그는 면회만 다녀오면 내 책상 앞에서 사형수가 너무 불쌍하다며 눈물을 흘렸다. 그러면 나도 그의 손을 잡고 하나님께 기도했다. 사형수를 면회하러 갈 때를 제외하고 이 참사관은 수없이 많은 중국 관계자들을 만나 사형수의 구명을 위해 호소하고 다녔다.

사형수의 회개

우리의 기도와 끊임없는 노력은 중국의 사법 당국을 감동시켰다. 2003년 8월 8일에 중국 최고인민법원은 한국 정부와 대사관의 부단한 요청과 양국 우호관계 및 인도주의 원칙을 고려하여 사형 판결은 유지하되, 집행유예 2년(2년간 범죄 사실이 없을 경우 무기징역으로 감형)을 판결했다. 2001년 1심에서 사형, 이듬해 2심에서 원심확정 판결을 받고, 바로 사형이 집행되었어야 했던 그 사형수는 기적적으로 사형을 면하게 되었다. 그리고 7개월 뒤 랴오닝성에 수감되어 있던 사형수도 똑같은 판결을 받고 목숨을 구했다.

후일담이지만 이영백 참사관은 생면부지의 사형수를 면회하여 위로하고 더욱이 그들을 살려내야 한다는 생각에 도무지 어찌해야 할지 갈피가 잡히지 않았다고 한다. 이런 마음을 그가 나중에 자세히 술회한 내용이 있어 소개한다.

나는 고민과 궁리 끝에 성경책을 뒤지기 시작했고 상대방을 위로해주는 가장 좋은 방법을 발견했다. "즐거워하는 자들로 함께 즐거워하고 우는 자들로 함께 울라"(롬 12:15)였다. 내가 '얼마나 어려우십니까, 얼마나 힘드십니까' 하고 아무리 말해봤자 참된 위로가 될 수 없을 것이 분명했다.

첫 면회 날이었다. 무겁게 열리는 철문 소리, 멀리서부터 족쇄가 시멘트 바닥을 스치며 '철거덕 철거덕' 하는 소리, 나는 순간 눈을 감고 기도하기 시작했다. 그러나 이상하게도 눈앞이 캄캄하고 무서움이 엄습하여 깜깜한 나락으로 떨어지는 느낌이 들어 눈을 뜨고 말았다.

한낮의 강렬한 햇빛에 눈이 부셨다. 다시 눈을 감자 역시 무서움에 휩싸여 도저히 눈을 감을 수가 없었다. 185센티미터의 건장한 사형수가 내 앞에 떡 하니 서 있었다. 손에는 수갑이, 발에는 무거운 철제 족쇄가 채워져 있었다. 그는 철장 안에서 나는 철장 밖에서 대화를 하기 시작했다. 나는 간수에게 이렇게 만나는 것은 상대방에게 위로가 되지 않는 만큼 수갑과 족쇄를 풀어주고 대신 내가 철장 안으로 들어가서 만나기를 청했다.

나는 그때까지 한 번도 소리 내서 기도해본 적이 없었다. 등 따시고 배부를 때는 하나님을 찾지 않는, 속된 말로 '나일론 신자'였다. 그러나 그를 만나서 나는 두 손을 잡고 소리 내어 함께 기도하기 시작했고, 심지어 끌어안고 눈물을 흘렸다. 중국 검사가 "왜 영사가 재소자보다 더 슬피 웁니까?" 하고 나를 놀리기도 했다.

나는 그에게 세상에 죄 없는 사람이 없지만 하나님은 우리와 같은 죄인도 용서해주시고 또 오직 하나님만이 우리를 주관하시므로 자신의 잘못을 진심으로 고백하고 용서를 구하는 기도생활이 필요함을 강조했다.

"당신이 혼자 죽는 건 괜찮지만 매일 눈물로 기도하는 아내와 아이들을 두고 죽을 거요?"

"아! 그러면 제가 살 수 있습니까?"

"살 수 있지요!"

"어떻게 살 수 있습니까?"

"기도하면 살 수 있어요."

"그럼 기도를 어떻게 합니까?"

기도를 어떻게 해야 하는지 잘 모른다는 그에게 말했다.

"기도라는 게 미사여구를 쓰거나 짜임새 있고 멋있게 한다고 해서 하나님이 기뻐하시고 응답해주시는 것이 아닙니다. 예수님의 십자가의 사랑에 의지하여 두서가 없더라도 자신의 진실을

고백하고 참회하며 용서를 비는 것이 중요하며, 그러면 사랑이
크신 하나님께서는 반드시 우리의 죄를 용서해주십니다."

그는 나의 이런 주제넘는 말을 귀담아 듣는 듯 했다. 그리고 한
달 뒤에 다시 면회를 갔을 때 그가 말했다.

"처음에는 어색하던 기도가 이제는 점차 습관화되고 내용도 다
양해졌습니다. 제가 죄 사함을 받게 되었다는 느낌이 듭니다."

그의 얼굴은 한 달 전에 비해 무척 건강하고 밝아보였다. 그로
부터 5개월 뒤, 2심까지 사형 선고를 받고 하루하루 집행일을
기다리던 그는 기적적으로 사형 집행 2년 유예 결정이 내려져서
사실상 무기징역으로 크게 감형을 받았다. 그에 따라 다른 한
사형수도 역시 기적적으로 같은 판결을 받았다.

이런 놀라운 회생의 결과에 대해서 사실 처음부터 대사님의 확
고한 신념을 믿지 않고, 내가 살릴 수는 없겠지만 최선이라도
다하자는 마음으로만 임했던 내 행동이 너무 부끄러웠다.

한 목사가 꿈을 꾸고, 그 꿈 이야기가 아내를 통해 나에게 전달이 되
고, 확신이 없던 내가 한 국회의원의 입을 통해 꿈의 주인공이 바로 그
사형수라는 확신을 갖게 되었다. 그리고 하나님은 이 참사관을 통해
사형수가 회개하게 하시고, 마침내 그와 또 다른 사형수의 영(靈)과 육
(肉)을 사망에서 건지셨다. 이토록 세밀한 하나님의 계획하심에 나는
또 한 번 놀라지 않을 수 없었다.

너희 중에 어떤 사람이 양 백 마리가 있는데 그중의 하나를 잃
으면 아흔아홉 마리를 들에 두고 그 잃은 것을 찾아내기까지 찾
아다니지 아니하겠느냐 눅 15:4

감옥에서 온 편지

2004년 겨울에 나는 편지 한 통을 받았다. 당시 61세였던 이영희(가명)라는 한국 여성이 중국의 감옥에서 보낸 것이었다.

"저는 감옥에서 빨리 나가게 해달라고 하나님께 기도하고 있습니다. 기도하는 중에 하나님을 믿는 대사님께서 저를 이곳에서 내보내줄 수 있다는 확신이 들어 이 편지를 드립니다."

그녀는 중국에 와서 중국인들의 밀출국을 알선한 혐의로 1998년 6월에 중국 당국에 체포되었고, 2001년에 징역 12년의 형을 받고 수감 중이라고 했다. 그녀는 이미 형기의 반이 지난 7년째 감옥에 있다고 하면서, 장기간의 수감으로 인한 질병과 고령으로 많은 어려움을 겪고 있으니 자신이 가석방될 수 있게 도와달라고 요청했다. 중국 형법에 유기징역에 처한 범죄자가 형의 절반 이상이 집행되면 가석방할 수 있다는 조항이 있는 것이 사실이었다.

나는 죄질에 비해 너무 무거운 형량을 받고 복역 중인 그녀가 불쌍했다. 또 그녀가 하나님을 믿는다고 하면서 기도하는 중에 내가 자기를 감옥에서 내보내줄 수 있다는 확신을 얻었다고 하는 말을 생각하면서 하나님께 기도했다.

'하나님, 이 수감자가 제가 자기를 감옥에서 내보내줄 수 있다고 하는데, 제가 노력하면 그녀가 정말 나올 수 있습니까?'

'그렇다.'

나는 계속 기도했고, 하나님께서는 할 수 있다는 응답을 주셨다.

우선 수감자가 처한 정확한 상황을 파악해야 했다. 그녀는 체포된 이후, 국내 가족 등 연고자가 면회를 오지 않아, 대사관의 영사 면담을 통해 물품이나 현금을 지원받는 등 매우 외로운 수형생활을 지탱해오고 있었다. 그러던 중 2004년 6월에 감형 9개월을 받아 형이 줄어들고, 또한 수감 기간의 절반이 넘어서자 가석방을 희망하여 대사관에 도움을 요청했으며, 대사관에서 중국 당국에 공식으로 가석방을 요청했으나, 중국 당국으로부터 불가(不可)하다는 회신을 받은 상태였다.

나는 2005년 1월에 대사관 내에 이영희 씨의 조기 석방을 위한 특별 대책반을 구성했다. 대책반은 유주열 총영사, 박홍식 법무협력관(부장검사), 경찰주재관과 면회를 전담할 전은숙 식약관 등으로 구성되었다. 나는 먼저 이 문제를 변호사를 고용하여 법적으로 검토하는 동시에 관계자들이 중국의 관련 부서 책임자들을 접촉하여 중국 정부의 협조를 확보하도록 노력하라고 지시했다.

얼마 후 대책반 회의에서 직원들이 그동안의 경과를 보고했다.

"대사님, 이건 불가능합니다."

이유를 들어보니 중국 정부는 중국인에 대하여는 가석방을 실시하지만, 외국인에게는 적용하지 않기 때문에 가석방이 불가능하다고 했다. 외국인을 가석방할 경우 형기의 일부인 관찰 기간에 대한 감독 문제 등 법률적 장애들이 많기 때문이었다. 중국 관련 부서의 반응도 상당히 미온적이었다.

나는 진행을 멈추고 하루에도 몇 번씩 하나님 앞에 무릎 꿇고 이 문제에 간섭해주실 것을 간절히 구했다. 하나님께서는 나에게 아무 걱정하지 말고 계속 추진하라고 하셨다. 그러던 중 이영희 씨가 나에게 또 편지를 보내왔다.

대사님께 올립니다.

오늘 날씨가 무척 덥습니다. 대사관 직원들이 저를 찾아와서 감동을 받았습니다. 제가 대한민국 국민으로서 중국 감옥에서 생활한 지 벌써 8년이 되어가니 너무나 죄송할 뿐입니다. 대사관에서 매달 저를 찾아주시고, 거기다 식품과 신문까지 가져다주시니 그저 감사할 따름입니다. 진심으로 감사를 드립니다. 지금 저의 간절한 희망은 하루 빨리 한국의 제 고향으로 돌아가는 것입니다. 대사님 건강하시고, 영원히 행복하십시오. 늘 기도드리겠습니다.

그리고 그녀는 편지 말미에 자신의 참회의 마음을 잘 나타낸 시를 '대사님께 드리는 회개의 성경시'라는 제목으로 적어보냈다.

아! 나의 지은 죄가
주홍빛 같습니다.

끝없이 끝없이

죄 위에 죄를 더할 뿐입니다.

당신을 사랑하지 않은 죄

당신을 믿고 의지하지 않은 죄

끝없이 많은 죄뿐입니다.

이제 내 영혼 속에

평화와 광명이 충만하오니

이 몸 당신과 함께

보이지 않는 사랑의 주님과 함께 걷겠습니다.

나의 하나님, 당신만 의지하고

당신 손에 이끌려 인생길 가오니

내내 평안할 뿐입니다.

2005년 6월 28일

이영희 드림

* 유명한 찬송시 작가인 호레이셔스 보나르(Horatius Bonar)의 시 〈고백과 평화〉의 일부 _ 편집자 주

하나님이 알려주신 방법

2005년 6월에 나는 제2차 특별대책반을 가동했다. 그리고 이번에는 중국 외교부, 사법부, 최고인민법원 등에 수감자의 조기 석방을 요청하는 공한(公翰)을 발송했다. 나를 비롯하여 정무공사, 총영사 등은 수없이 많은 중국 관리들을 접촉하여 조기 석방을 요청했다. 그러나 별

다른 진전이 없었다. 10월에 조기 석방 요청 공한을 또 발송하고, 많은 중국 관리들을 접촉했지만 진전이 없었다.

이듬해 3월에 또 한 차례 시도했지만 상황은 마찬가지였다. 나는 이 과정에서 하나님께서 도와주실 것을 수없이 기도했다. 하나님께서는 아무 걱정하지 말고 계속 추진하라고 말씀하셨다. 나는 이영희 씨를 위한 제3차 특별대책반을 다시 가동하면서 관계자들에게 그녀의 조기 석방을 위해 더욱 노력하자고 말했다.

그때 대책반의 한 직원이 나에게 말했다.

"대사님, 그동안 우리는 대사님 지시에 따라 최선을 다했습니다. 저는 대사님께서 크리스천으로서 불쌍한 여성 수감자를 사랑하셔서 그러시는 것을 충분히 이해합니다. 그러나 이 문제는 현실적으로 불가능합니다. 이 문제를 더 이상 추진하지 않는 것이 좋겠다고 생각합니다. 만일 그 수감자의 조기 석방이 이루어진다면 저는 제 직(職)을 걸겠습니다."

만일 이영희 씨의 조기 석방이 이루어진다면 자기가 하는 일을 그만두겠다는 것이었다. 나는 웃으면서 그에게 말했다.

"그렇게 하세요. 지금부터 그만둘 준비나 하세요."

그날부터 나는 하나님께 더욱 간절히 기도했다.

'하나님, 오늘 제 직원이 많은 사람들 앞에서 이 일이 이루어진다면 자기의 직을 걸겠다고 했습니다. 저는 하나님께서 이 일을 이루어주신다고 해서 여기까지 왔습니다. 저를 부끄럽게 만들지 말아주십시오. 하나님, 저 좀 도와주십시오.'

그렇게 며칠이 지난 어느 날 밤, 하나님께서 내게 말씀하셨다.

'중국의 사법부장을 만나라.'

나는 다음 날 출근하여 중국 사법부장(우리나라의 법무부장관) 면담을 신청했다. 면담이 이루어지려면 며칠 기다릴 것으로 생각했는데 그날 오후에 바로 연락이 왔다. 내일 오후에 사법부로 들어오라는 것이었다.

4월 6일에 나는 총영사, 법무협력관 등과 함께 사법부로 갔다. 접견실 앞에서 우아이잉(吳愛英) 사법부장이 기다리고 있었다. 사법부장은 키가 크고 아주 멋진 여성 장관이었다. 우 부장은 반갑게 나를 맞았다. 우 부장은 자신이 과거 산둥성 부성장을 지냈으며, 그때 한국을 방문하여 깊은 인상을 받았다고 했다.

그리고 자신이 사법부장이 된 지 1년이 넘었지만 외국대사를 만난 적이 없는데, 내가 면담 신청을 했다는 보고를 듣고, 나를 빨리 만나고 싶었다고 말했다. 그러면서 우 부장은 나에게 혹시 요청할 것이 있느냐고 물었다. 나는 한중 간의 몇 가지 문제에 대하여 설명을 하고는 이영희 씨의 조기 석방 문제를 꺼냈다. 우 부장은 내 말을 듣더니, 배석해 있던 간부와 이야기를 나눈 후 내게 말했다.

"대사께서 한국 정부를 대표하여 요청하신만큼 결코 가볍게 생각하지 않을 것입니다. 제가 할 수 있는 최선을 다하겠습니다."

나는 그 말을 들으면서 이 문제가 해결될 것이라는 확신이 들었다. 이미 하나님께서 중국 사법부장의 마음을 만지신 것이었다.

우리는 중국 외교부와 사법부 등 관련 부서와의 교섭을 계속했다. 그리고 마침내 2006년 6월에 중국 측에서 이영희 씨를 가석방하기로 결정했으며, 관련 절차가 다 끝나려면 한두 달 정도 더 필요하니, 엄격한 보안을 유지해달라는 통보가 왔다. 할렐루야! 나는 그날 하나님께 무릎을 꿇고 얼마나 많은 감사의 눈물을 흘렸는지 모른다.

중국 측의 통보가 있은 직후 박은하 참사관(현재 주유엔대표부 공사참사관)과 여소영 서기관(현재 외교통상부 북핵협상과 서기관)이 수감자 면회를 가게 되었다. 나는 두 사람에게 어떠한 일이 있어도 이영희 씨에게 가석방 예정 사실을 말하지 말라고 주의를 주었다. 그런데 면회를 다녀온 두 사람이 내게 보고를 하면서 울기 시작했다.

"왜 그래요?"

내가 물었다. 박 참사관이 울먹이며 말했다.

"대사님, 저희들이 면회실에 들어가자 이영희 씨가 '저 이제 나갈 수 있게 되었습니다. 며칠 전 기도하는데 하나님께서 제가 몇 달 후에 나갈 것이라고 분명히 말씀하셨습니다. 그러니 그런 방향으로 노력해 주십시오'라고 말하는 것을 듣고 너무나 당황스러웠습니다. 그래도 끝까지 모른 척하며 '힘들겠지만 참고 기다리면 언젠가는 좋은 일이 있지 않겠느냐'는 정도로 대응을 했습니다. 혹시 내부에서 누가 알려주었나 싶어서 간수들에게 '혹시 수감자에게 감형의 길이 없겠느냐? 위에서 좋은 소식이 없느냐'고 넌지시 물어보았습니다. 그들은 전혀 가능성이 없다고 말했습니다."

이 말을 하면서 두 사람은 펑펑 울었다. 나 또한 하나님께서 그 수감자를 사랑하시며, 그녀의 기도에 응답하셨다는 것을 확인하고는 매우 놀랐다.

네 배로 주어라

이영희 씨의 가석방은 여름휴가 등의 이유로 절차가 조금 늦어져 11월 20일에 가석방과 동시에 한국으로의 강제 출국이 결정되었다. 나는 그녀를 보고 싶은 마음이 있었지만, 마침 그 전날 시안(西安) 출장이 예정되어 있었다. 그래서 나는 그녀를 위해 간절히 축복기도를 했다. 기도하는 중에 그녀가 8년 만에 감옥에서 나오는 것이니 돈을 좀 주어야겠다는 생각이 들어 구체적인 금액을 하나님께 말씀드렸다.

'하나님, 제가 차비를 조금 주겠습니다.'

그런데 하나님께서 내가 생각했던 금액보다 더 주라고 하셨다.

'더 주어라.'

'그럼 두 배로 주겠습니다.'

'좀 더 주어라.'

'그럼 네 배로 주겠습니다.'

'그렇게 해라.'

나는 하나님께서 왜 그렇게 많은 돈을 주라고 하시는지 알 수 없었지만 순종했다. 나는 시안으로 출발하기에 앞서 총영사와 최영철 경찰주재관 등을 불러 하나님께서 말씀하신 액수의 돈과 이영희 씨를 위한 기도문을 봉투에 넣어주며, 공항에서 그녀를 만나면 전달하라고 했다. 나중에 그녀가 공항 탑승구 앞에서 내가 준 돈과 기도문을 보고 한없이 울더라는 말을 전해 들었다.

얼마 후 주중대사관에서 근무할 때 그녀를 면회 다니다 서울로 간 식약청의 전은숙 국장에게서 전화가 왔다.

"대사님, 그 수감자에게서 연락이 왔어요. 깜짝 놀랐습니다. 사실 베이징에서 면회를 다니면서도 가석방은 불가능할 것이라고 생각했는데 말씀하신 대로 됐네요. 이것은 기적이에요. 정말 놀랍습니다!"

6개월쯤 지나서 한국으로 돌아간 이영희 씨에게서 편지가 왔다.

> 저를 가석방시키시기 위해 2년 넘게 애를 써주신 대사님과 대사관 직원분들께 깊은 감사를 드립니다. 한국으로 돌아와보니 오랫동안 중국에서 복역을 해서 가족도 찾을 수 없고 집도 없어서 막막했는데 대사님이 주신 돈으로 작은 셋방을 얻어 지금까지 살고 있습니다. 대사님의 도움이 없었더라면 저는 그 추운 겨울 길에서 얼어 죽었을지도 모릅니다. 대사님, 정말 감사드립니다.

그녀는 편지 말미에 다시는 죄를 짓지 않고 남은 평생 나를 위해 기도하겠다고 했다. 그리고 그녀는 하나님께서 나를 통해 자신을 석방시키신 일을 사람들에게 간증한다고 했다. 나는 이 편지를 보며 비로소 내가 생각했던 금액의 네 배를 주라고 하신 하나님의 뜻을 헤아리게 되었다.

생명을 살리는 사랑의 기도

다음 날, 그녀가 보낸 편지를 가지고 직원 전체회의에 들어가 한 직원을 시켜 읽게 했다. 그리고 내가 말했다.

"여러분은 나라를 대표하는 외교관들입니다. 외교관이기 때문에 나라를 위해서 고생도 하지만 또 많은 특권을 누리면서 살고 있습니다. 그러나 우리가 국민의 세금으로 그런 삶을 누리는 만큼 국민을 위해 더 봉사해야 합니다. 우리 주위에 있는 불쌍하고 힘든 국민들을 진정으로 사랑하고 힘을 다하여 도와주어야 합니다. 나는 지난 2년 동안 한 번도 만난 적이 없는, 그것도 죄를 짓고 복역 중인 60세 여성 수감자를 위해 수없이 기도했습니다. 여러분도 이제는 어려운 국민들을 더 사랑하고 도와야 할 것입니다."

그리고 이 일이 이루어지면 자신의 직을 걸겠다고 큰소리쳤던 직원에게 말했다.

"자네는 왜 아직 그 자리에 앉아 있나?"

그 직원이 일어나 대답했다.

"대사님, 죄송합니다. 제가 잘못했습니다."

탈북자와 사형수와 수감자, 이들은 모두 불쌍한 영혼들이다. 하나님께서는 이 불쌍한 사람들을 사랑하시고 지키신다. 탈북자도 지키시고, 사형수도 살려주시고, 60세 여성 수감자도 기도하니까 석방시켜 주셨다. 그들의 눈물의 기도를 하나님이 들으신 것이다.

여호와께서 내 음성과 내 간구를 들으시므로 내가 그를 사랑하는도다 그의 귀를 내게 기울이셨으므로 내가 평생에 기도하리로다 시 116:1,2

하나님은 기도하며 자기를 찾는 자들의 생명을 살리실 뿐 아니라 그들의 영혼을 변화시키시는 분이다. 또한 나로 하여금 한 영혼, 한 영혼을 두고 수천 번씩 기도하게 하시고 일하게 하신 분도 하나님이시다. 우리 하나님은 그런 분이다. 그러니 기도하지 않을 수 없다. 기도하면 죽어가는 생명도 살릴 수 있기 때문이다.

chapter 04

중국에 사랑과 축복을 심다

나는 양 차관과 우다웨이 차관을 위해 지금까지 만 번 이상 기도했다.
우리가 어느 한 사람을 위하여 사랑의 마음을 가지고 수천 번을 기도하면
그 기도는 영향력을 가질 수밖에 없다.

중국 외교부의 모든 기록을 깨다

역사에 남을 주중대사가 되기 위해 미리 중국 친구들을 놓고 기도
했던 최초의 명단에 있던 사람은 20여 명이었다. 대사가 되었을 때는
40여 명으로 늘어나 있었고, 6년 반이라는 긴 시간 동안 대사직을 수
행하고, 통일부 장관으로 임명되어 중국을 떠나면서 세어보니 80여
명으로 늘어나 있었다.

1995년 처음 만들었던 중보기도 명단 중에서 가장 중요한 사람이
양 차관(가명, 현직 고위 인사여서 가명 사용)이었다. 내가 주중대사관에서
정무공사를 할 때 그는 중국 외교부의 부국장이었다. 내가 본부 아태
국장으로 귀임한 후 그도 국장이 되었다. 내가 차관급 외교안보수석
비서관이 되자, 얼마 후 그도 차관으로 승진했다. 내가 중국에 대사로

갔을 때 그는 외교부 차관이 되어 있었다.

내가 2001년 9월 10일 주중대사로 내정되었을 때, 중국 정부는 일주일 만에 아그레망(agrement, 특정한 사람을 외교 사절로 임명하는 것에 대하여 파견될 상대국에서 사전에 동의하는 일)을 부여했다. 그리고 주중대사로 부임한 지 이틀 만에 장쩌민(江澤民) 국가주석에게 신임장을 제정(提呈)했다. 대사가 주재국 국가원수에게 부임 이틀 만에 신임장을 제정한 것은 세계 외교 사상 유례를 찾기가 어려울 정도로 파격적인 것이었다. 일반적으로 빨라야 보름, 보통은 한두 달이 걸렸다. 그리고 중국 외교부는 외국대사가 새로 부임한 후 6개월 이내에 하게 되어 있는 환영 만찬을 신임장 제정 다음 날 개최했는데, 이 또한 놀라운 일이었다.

이날 나를 위한 환영 만찬을 주최한 사람이 바로 양 차관이었다. 그때 양 차관이 내게 말했다.

"중국 외교부가 가지고 있는 모든 기록을 김 대사가 다 깼습니다."

내가 중국 외교부로부터 그와 같은 파격적인 대우를 받을 수 있었던 것은 양 차관과 같은 많은 친구들의 협조 때문이었다. 내가 오랫동안 기도해온 사람들이 이미 중국 정부의 요로(要路)와 사회 각 분야에서 두각을 나타내며 상당한 영향력을 발휘하고 있었던 것이다.

사랑의 기도로 살린 친구

그런데 2004년 5월 초, 양 차관의 건강이 매우 좋지 않다는 소식이 들렸다. 그 얼마 전에 만났을 때도 아무렇지도 않았는데 별안간 입원을 했다는 것이었다. 수술을 받아야 한다고 하는데 대체 어떤 병인지도 알 수가 없었다. 나는 그 말을 들은 날부터 하루에 몇 번씩 그를 위해 기도했다. 기도를 하면서 들리는 이야기는 회복 가능성이 희박하다는 안 좋은 소식뿐이었다. 그래서 나는 더욱 간절히 하나님께 그의 병을 치유해주실 것을 기도했다.

하루는 그를 위해 기도하는데 '저는 너무 억울합니다. 나라를 위해서 정말로 열심히 일했는데 왜 저한테 이런 병을 주십니까? 너무 억울합니다'라는 내용의 통변이 나왔다. 또 얼마 후 기도하는데 하나님께서 이렇게 말씀하셨다.

'나는 그를 사랑한다. 너는 걱정하지 말라. 내가 반드시 그의 병을 회복시켜줄 것이다. 너는 이 말을 그에게 전하라.'

나는 매우 난감했다. 병원에 있는 그를 만날 수도 없었고, 무신론(無神論)을 견지하는 공산당원인 그에게 하나님이 이런 말씀을 하신다고 이야기할 수도 없었다. 그렇게 며칠이 지났는데 기도할 때마다 똑같은 말씀이 반복되었다.

'예, 전달하겠습니다.'

나는 순종하겠다고 해놓고도 전달할 엄두를 내지 못했다.

시간이 흘러 5월 26일 아침에도 기도하면서 똑같은 내용의 말씀을 받았다. 출근을 하는데 갑자기 두려운 생각이 들었다.

'오늘 말씀을 전하지 않으면 하나님께서 나를 치실지도 모른다!'

나는 출근하자마자 중국어로 다음과 같은 편지를 썼다.

제가 베이징에서 근무한 지도 2년 반이 되었습니다. 만일 그동안 양 차관의 적극적인 도움과 지지가 없었다면, 저는 지금과 같이 의미 있고 훌륭한 대사로서의 생활을 할 수 없었을 것입니다. 그래서 양 차관은 중국뿐만 아니라 제 개인에게 있어서도 굉장히 중요합니다.

저는 그동안 양 차관의 건강과 일을 위해서 끊임없이 기도해왔습니다. 최근 양 차관이 병에 걸렸다는 소식을 듣고 하루에 몇 차례씩 양 차관을 위해 기도하고 있습니다. 기도할 때마다 눈물로 하나님께 양 차관의 건강을 회복시켜주시기를 간구하고 있습니다. 그런데 얼마 전 제가 기도할 때 하나님께서 이렇게 말씀하시는 것을 느꼈습니다.

'그가 나를 원망하고 있다. 자기가 나라를 위해서 참으로 열심히 일했음에도 불구하고 왜 이런 병에 걸리게 했느냐고, 정말로 억울하다고 한다. 그러나 나는 그를 사랑한다. 너는 안심하라. 내가 반드시 그의 건강을 회복시켜줄 것이다.'

저는 하나님께서 양 차관을 사랑하시고 보호하실 것을 알고 매우 기뻤으며 비로소 안심이 되었습니다. 또한 양 차관이 받을 수술이 아주 순조로울 것이라는 것을 알고 큰 위안을 받았습니다. 아무쪼록 양 차관께서도 잘 요양하셔서 빨리 건강을 회복하시기 바랍니다. 그리고 빠른 시일 내에 다시 전처럼 충만한 활력을 가지고 열심히 일하시는 모습을 보게 되기를 희망합니다.

편지를 써서 보낸 후 나는 기도하며 양 차관의 연락을 기다렸다. 열흘 후, 양 차관에게서 전화가 왔다.

"양 차관입니다. 어제 퇴원했습니다. 수술은 아주 잘됐습니다. 편지 받고 정말 감사했습니다. 내가 가장 어려울 때 기도해주셔서 큰 힘이 됐습니다. 참으로 감사합니다."

할렐루야! 나는 무릎을 꿇고 하나님께 감사기도를 드렸다. 그리고 얼마 후에 양 차관이 부인과 함께 대사 관저로 나를 찾아와 말했다.

"김 대사님이 보낸 편지를 보고 '아! 내가 살았구나!'라고 생각했습니다. 제가 하늘을 향해 불평한 내용이 편지에 그대로 씌어 있는 것을 보고 깜짝 놀랐습니다. 그래서 뒤에 내가 반드시 회복될 것이라고 쓰신 내용도 분명히 맞을 것이라고 생각했습니다. 그 편지는 제 서재의 책상 유리 밑에 끼워놓고 보고 있습니다."

그는 중국 외교부의 차관으로서, 우리나라에 매우 중요한 사람이었다. 하나님께서는 이미 모든 것을 다 아시고 1995년부터 나로 하여금 그를 위하여 기도하게 하신 것이다. 그때까지 10년 동안 하루에 두 번씩 기도했으니 대략 6천 번의 기도가 쌓여 있을 때였다. 나는 하나님께서 한 사람을 위해 오랫동안 기도한 사람이 눈물로 간구하는 기도를 반드시 들으신다는 것을 깨달았다.

믿음의 기도는 병든 자를 구원하리니 주께서 그를 일으키시리라 혹시 죄를 범하였을지라도 사하심을 받으리라 그러므로 너희 죄를 서로 고백하며 병이 낫기를 위하여 서로 기도하라 의인

의 간구는 역사하는 힘이 큼이니라 약 5:15,16

하나님은 우리나라를 참으로 사랑하시고, 한중관계를 중요하게 생각하셔서, 이렇게 놀라운 역사를 하신 것이다. 양 차관은 그 후 요직을 거쳐 지금은 중국 정부의 장관직에 있다. 나는 15년이 흐른 지금도 그를 위해 매일 기도하고 있다.

기도하는 자가 주는 축복

우다웨이(武大偉)는 6자회담 수석대표를 겸하고 있는 중국 외교부의 차관이다. 그와 처음 만난 것은 1992년 8월 24일, 역사적인 한중수교 현장에서였다. 당시 그는 외교부 아주국(亞洲局) 부국장으로 대사관의 정무공사였던 나의 업무파트너였다. 맨 처음 작성했던 20여 명의 중보기도 명단에 포함되어 있음은 말할 것도 없고, 지금도 매일 기도하는 가장 가까운 중국 친구 중의 한 명이다.

우리는 베이징에서 우 부국장이 1994년 봄에 주일공사로 나갈 때까지 긴밀하게 일했다. 그러다 내가 이듬해 1월에 본부에 아태국장으로 들어오면서 일본에 출장을 갈 기회가 많았고, 그때마다 우다웨이 공사와 만나 식사를 하곤 했다. 나는 이미 그를 위해 매일 기도하고 있었고, 그를 만날 때마다 이런 이야기를 했다.

"우 공사! 앞으로 주한(駐韓)대사 한번 하십시오."

"나는 한국어를 못해서 주한대사는 못합니다."

"당신은 틀림없이 주한대사를 할 것입니다."

이후에도 나는 일본에서 그를 만날 때마다 그런 얘기를 했다.

"1998년에 정부가 바뀌면 가을쯤 한국에 와서 주한대사를 하십시오. 내가 그렇게 기도하고 있습니다."

그리고 시간이 흘러 1998년 가을에 그가 정말 주한대사로 오게 되었다. 당시 나는 대통령 의전비서관이었고, 얼마 후 외교안보수석비서관으로 승진을 했다. 의전비서관이나 외교안보수석비서관은 주한대사들에게는 아주 중요한 자리였다. 우 대사는 어려운 일이 생기면 나에게 연락을 하거나 직접 찾아왔다. 나는 당시 너무 바빴기 때문에 아주 특별한 경우를 제외하고는 주한 외국대사들과 접촉할 시간이 없었다. 그럼에도 불구하고 우 대사만은 옛날 우정을 생각하여, 그리고 나의 중보기도 리스트 중의 한 사람이었기 때문에 최대한 도움을 주려고 노력했다.

2000년 12월에 우 대사 부부와 송년회 겸 저녁식사를 하면서 내가 우 대사에게 물었다.

"우 대사는 한국에 온 지 얼마나 되셨죠?"

"2년 반 됐습니다."

"그럼 내년 가을이면 3년이네요. 주한대사는 3년이면 충분하니 내년 가을에는 주일(駐日)대사로 가셔야죠?"

"아, 저는 주일대사는 못 갑니다. 지금 주일대사가 부임한 지 1년 반밖에 안 되었으니까요. 설사 간다고 해도 1년 반을 기다려야 합니다. 게다가 나는 여러모로 보아서 아직 주일대사가 되기는 어렵습니다."

"그렇지 않습니다. 우 대사는 내년 가을에 틀림없이 주일대사로 가실 거예요."

대사 기간이 3년이니까 만약 가더라도 1년 반을 더 기다려야 한다는 그의 말이 맞았다. 그런데 2001년 6월에 갑자기 주일 중국대사가 유엔사무차장으로 가게 되면서 주일대사가 공석이 되었다. 그러자 중국 정부는 우다웨이 주한대사를 주일대사로 임명했다. 생각지도 않은 일에 나도 놀라고 우 대사도 놀랐다.

주일대사로 전임하기 전에 우 대사는 한국에서 마지막으로 나를 위한 만찬을 주최했다. 만찬이 끝나자 나는 우 대사를 한쪽 구석으로 데려가 이렇게 말했다.

"우 대사, 2004년 가을에 외교부 차관으로 들어가십시오."

"나는 차관으로는 못 갑니다. 본부에서 부국장 하다가 나왔는데 어떻게 바로 차관으로 가겠습니까?"

"아무 걱정하지 마세요. 틀림없이 그렇게 될 겁니다."

그렇게 그는 일본으로 갔고, 나는 얼마 후 주중대사로 중국에 부임하게 되었다. 그런데 2004년 가을, 중국 외교부의 한 차관이 주일대사로 나갈 것이라는 소문이 들렸다.

'아! 그럼 우 대사가 그 빈자리에 오겠구나!'

나는 소문을 듣고 일본에 있는 우 대사에게 전화를 했다.

"우 대사는 이번에 본부로 들어오시죠? 외교부 차관으로 들어오나요?"

"외교부로 안 들어갑니다."

"왜요?"

"나는 다른 데로 가게 될 겁니다."

"그래요? 전에 서울에서 내가 말한 것 기억하시죠?"

"네. 기억합니다."

"그거 믿으세요?"

"아니요, 안 믿습니다. 왜냐하면 나는 외교부로 못 들어가니까요."

"언제 들어오세요?"

"3주쯤 있다가요."

"그럼 3주가 남았네요. 아직 시간이 있으니까 두고 보시죠."

이 전화를 하고 2주 후에 갑자기 상황이 바뀌었다. 우 대사가 외교부 차관이 된 것이다. 이번에도 역시 그도 놀라고, 나도 무척 놀랐다. 막상 그렇게 말은 했지만 일이 세 번씩이나 실제로 이루어지니 놀라지 않을 수 없었다.

내가 통일부 장관이 되어 중국을 떠날 때까지, 나는 우 차관과 3년 반을 함께 일했다. 그는 외교부 차관으로서 1992년부터 시작된 우정, 그리고 주한대사 시절의 나의 전폭적인 지지와 도움을 생각하여 주중 대사인 나에게 큰 도움을 주었다.

2005년 3월 당시 국가안전보장회의(NSC) 이종석 사무차장이 비공식적으로 중국을 방문하여 우다웨이 차관을 만나 면담과 오찬을 함께한 적이 있었다. 이 차장이 식사를 하면서 우 차관에게 물었다.

"제가 들으니 우 차관님이 김하중 대사와 가깝다고 하시는데, 그 가까운 정도를 어떻게 표현하시겠습니까?"

우 차관이 이렇게 대답했다.

"우리 집에 밤 12시가 넘어 전화할 수 있는 사람은 외교부의 아주국장과 한국과장 등 몇 사람과 김하중 대사입니다. 제가 개인적으로 사용하고 있는 휴대전화 번호는 아내를 비롯해 소수의 사람만이 알고 있는데, 그중에 김 대사도 포함됩니다. 이제 됐나요?"

정년을 연장시켜주십시오

우 차관은 1946년 12월생으로 1947년 1월생인 나보다 생일이 2주 정도 빠르다. 그러나 음력으로는 똑같은 개띠이다. 그래서인지 우리는 누구보다도 친밀함을 느꼈다.

중국에서는 공무원들이 60세에 은퇴를 하게 되어 있다. 그 규정에 따르면 우 차관은 2006년 12월에 은퇴를 해야 했다. 그런데 그는 6자 회담 수석대표로서의 직위도 함께 가지고 있었기 때문에 과연 그가 은퇴를 할지 여부가 큰 관심거리였다.

나는 2006년 초부터 하나님께 우 차관의 정년을 연장해달라고 기도했다. 아니나 다를까 12월이 되었는데도 그가 은퇴할 것이라는 말이 없었다. 나는 계속 기도했다. 12월 28일에 우 차관에게서 만나자는 연락이 왔다. 그를 만나기로 한 날 아침, 하나님께 기도했다.

'하나님! 금년 내내 제가 우 차관의 정년 연장을 위하여 기도했습니다. 그의 정년을 연장시켜주십시오.'

하나님께서 말씀하셨다.

'그는 당분간 그곳에 머무를 것이라.'

나는 기도 내용을 종이에 적어 우 차관을 만나러 갔다. 면담 내용은 6자회담에 관한 것이었다. 면담을 마치고 나오면서 내가 그에게 정년에 대해 물었다.

"그런데 정년은 어떻게 된 겁니까? 2006년이 다 지나가는데요."

그가 씩 웃으면서 말했다.

"연장됐습니다."

"얼마나요?"

"당분간 더 있게 됐습니다."

'당분간!'이라는 말을 듣고 나는 수첩에 끼워놓은 기도문을 꺼내 당분간이라는 단어를 중국어로 번역해주었다. 그러면서 아침에 당신을 위해 기도했는데, 하나님께서 그 자리에 '당분간' 더 있을 것이라고 말씀하셨다고 설명해주었다. 그도 놀라고 옆에 있던 직원들도 놀랐다.

나는 자동차를 타고 돌아오면서 나를 수행했던 대사관 정무과장 김건 서기관(현재 주인도네시아대사관 참사관)과 여소영 서기관에게 그 기도문을 읽어주었다.

얼마 후 우 차관을 만났을 때 내가 물었다.

"당분간이 얼마 정도 될 것 같습니까?"

"6개월 정도 되겠지요."

"하나님의 당분간은 그런 당분간이 아닙니다. 최소한 1년, 2년 아니면 경우에 따라 3년도 될 수 있을 겁니다."

"그렇게는 안 됩니다. 우리 정부에서 당분간은 6개월 정도입니다."

그 이야기를 나눈 때가 2006년 12월 말이었는데, 우 차관은 2009년 말까지도 은퇴하지 않았다.

나는 지난 15년 동안 우 차관을 위하여 수없이 기도했다. 내가 그에게 주한대사로 오라고 말한 후에 3년을 기도했는데 그가 주한대사로 왔고, 그에게 주일대사로 갈 것이라고 말하고 기도했는데 주일대사로 갔다.

다시 3년 후에 외교부 차관이 될 것이라고 말하고 그것을 위하여 기도하고 있는 중에 그가 외교부 차관이 되었고, 그의 은퇴를 연장해달라고 기도했는데 연장이 되었다. 하나님께서 사랑하는 친구를 위한 내 눈물의 기도를 들어주신 것이다.

나는 앞에서 이야기한 양 차관과 우다웨이 차관을 위해 지금까지 만 번 이상 기도했다. 우리가 어느 한 사람을 위하여 사랑의 마음을 가지고 수천 번을 기도하면 그 기도는 영향력을 가질 수밖에 없다. 세상 사람들은 내가 주중대사를 오래 한 것이 단순히 사람을 잘 관리했기 때문이라고 생각할지도 모른다.

그러나 나는 1965년에 대학에서 중국문학을 배울 때부터 중국에 대한 꿈을 키워왔고, 1995년부터 지금까지 사랑하는 중국의 친구들을 위하여 수없이 기도했다. 이것이 내가 직업 외교관으로서 최장수 대사가 될 수 있었던 중요한 요인 중 하나였다.

사랑을 전하라

2005년 초에 베이징텔레비전방송국(BTV)에서 〈TV는 당신과 함께 (熒屏連着我和你)〉라는 프로에 출연해달라는 연락이 왔다. 이 프로는 15 년간 베이징 사람들의 사랑을 받아온 최장수 프로그램이었다. 또한 당시 9년 동안 시청자들로부터 가장 사랑받는 프로그램으로 선정되기 도 했다.

방송국에서는 '주중 외국대사와의 대담'이라는 특별 시리즈를 기 획했다. 그 내용은 중국에 주재하는 170여 명의 외국대사 중에서 30여 명을 선정해 녹화를 한 다음, 매주 한 사람씩 방영한다는 것이었다. 나 는 출연 여부를 놓고 하나님께 여쭈었다. 하나님께서는 출연하라고 하시며 이렇게 말씀하셨다.

'네가 그것을 통하여 이 땅에서 나의 영광을 드러낼 것이다.'

중국 텔레비전 프로그램에 출연하는 것이 어떻게 하나님의 영광을 드러낸다는 것인지 좀 의아한 생각이 들었지만 말씀에 순종하여 출연 하겠다고 했다.

방송국에서는 먼저 대사관 관저에서 녹화를 한 다음, 스튜디오에서 녹화를 할 예정이라고 했다. 얼마 후에 그 프로그램을 진행하는 티엔 거(田歌)라는 여성 사회자와 제작진들이 촬영을 위해 관저로 왔다. 티 엔거는 장기간 높은 시청률을 기록하고 있는 이 프로그램으로 인해 중국 내에서 가장 유명한 방송인 중 한 명이었다.

나는 관저 녹화 전날 밤에 이 여성 사회자를 위해 기도했다. 그런데 별안간 하나님께서 그녀를 만나면 '그가 외로운 사람이니 사랑에 대하여 말해주라'고 하셨다.

다음 날 관저에서 녹화를 마친 다음, 점심시간이 되어 티엔거와 방송국의 피디와 촬영기사, 그리고 대사관의 공보관 등이 함께 식사를 했다. 식사를 하면서 이런 저런 이야기를 나누던 중 티엔거가 내게 물었다.

"대사께서는 이 세상에서 무엇이 가장 중요하다고 생각하세요? 돈인가요? 권력인가요? 아님 명예인가요?"

"저는 '사랑'이라고 생각합니다."

"네? 사랑이요?"

그녀는 옆에 앉아 있는 피디를 쳐다보면서 "사랑?"이라고 반문하며 웃었다. 아마 자신이 기대하던 대답과는 너무 다르다는 표현인 것 같았다.

내가 그녀를 보며 말했다.

"당신한테 지금 부족한 것이 무엇인가요. 당신은 이미 명성을 얻었고, 아름답고, 돈도 많지만 부족한 건 사랑이 아닙니까?"

그녀는 다소 놀라면서 나에게 되물었다.

"아니, 누가 그런 소리를 하던가요?"

"하나님이 그러시던데요. 제가 어젯밤에 당신을 위해 기도를 했는데, 하나님께서 당신이 외롭다고 하셨습니다. 그리고 사랑에 대하여 말해주라고 하셨습니다."

내 말을 듣던 그녀는 몸이 얼어붙은 듯 밥을 먹지 않고 가만히 있었다. 나는 몰랐지만 나중에 알고 보니 그녀는 이혼녀였다. 그녀가 식사를 하지 않자 분위기가 썰렁해져서 우리는 적당히 식사를 끝내고 헤어졌다.

그리고 방송국에서의 녹화 날이 되었다. 무대에 올라가기 직전 티엔거와 내가 나란히 서서 대기하고 있는데 그녀가 말했다.

"대사님, 그날 제가 한숨도 못 잤습니다. 그러나 저에게 해주신 말씀은 큰 도움이 되었습니다. 앞으로 살아가면서 항상 마음에 담고 있겠습니다."

그(하나님)는 깊고 은밀한 일을 나타내시고 어두운 데 있는 것을
아시며 단 2:22

다재다능한 대사

관저에서 녹화를 하는 중에 티엔거가 부탁한 것이 있었다.

"시청자들이 생각할 때 대사라고 하면 항상 국기를 단 검정색 차량과 파티와 포도주 등을 생각합니다. 일반인들과는 좀 다른 사람들이라 생각하지요. 그래서 시청자들에게 가까이 다가가기 위해 좀 더 친근한 것이 필요합니다. 혹시 대사께서는 노래를 잘하십니까?"

"잘은 못하지만 노래를 할 수 있습니다."

"그러면 혹시 다룰 줄 아시는 악기가 있나요?"

"기타를 칠 수 있습니다."

"그러면 방송국에 나와 방청객 앞에서 기타를 치면서 노래를 해주

실 수 있나요?"

"그렇게 하겠습니다."

사실 나는 서울대 중국문학과에 재학시절에 4인조(3명의 일렉트릭기타 연주자와 1명의 드럼 연주자로 구성) 보컬그룹을 조직해서 활동한 적이 있었다. 1965년 말에 조직을 해서 이듬해 봄부터 활동을 시작한 우리 그룹의 이름은 '엑스타스'(Extas, 처음 이름은 Xstars였음)였는데 우리나라 최초의 대학생 보컬그룹 중의 하나였다. 나는 멜로디를 담당하는 리드기타였다. 우리는 1년 반 이상 수많은 공연에 출연하여 아마추어로서는 보기 드문 풍부한 경험을 했다.

그때 내가 공식 연주회가 아닌 자리에서 자주 통기타를 치면서 부른 노래가 하나 있었다. 미국 가수 패티 페이지(Patti Page)가 1960년대 초에 부른 〈Have I told you lately that I love you〉라는 노래였다. 나는 이 노래를 〈터질 거예요〉라는 제목의 우리말로 번안하여 애창곡으로 부르곤 했다. 이후 이 노래는 젊은이들 사이에서 대유행을 했는데 1980년대 초에 대중가요 모음집을 보니 번안자가 무명(無名) 씨로 되어 있었다. 나는 그때부터 번안자를 내 이름으로 바꾸려 생각하고 있지만 지금까지 바꾸지 못하고 있다.

나는 방송에 출연하면 이 노래를 불러야겠다고 생각하고 중국어로도 가사를 번역해놓았다. 원래 미국 노래이니까 영어 가사가 있고, 한글 가사는 이미 번안을 해놓았지만, 영어나 한국어를 전혀 모르는 중국 대중들이 그 노래를 들으면 너무 생소하게 들리지 않을까 생각해서였다.

티엔거와 무대 뒤에서 이야기를 나눈 뒤, 곧 무대 녹화가 시작되었다. 방청석에는 100여 명의 중국인 방청객과 대사관의 위계출 홍보공사(전 주가나대사)와 공보관 등이 앉아 있었다. 녹화가 진행되면서 드디어 내가 노래를 부를 시간이 되었다. 노래를 부르기 전에 간단히 곡을 소개했다.

"이 노래는 원래 미국 노래인데 제가 1960년대 중반에 한국어로 가사를 번안해 불렀습니다."

그랬더니 사회자가 영어로 불러달라고 요청했다. 내가 준비해간 기타를 치며 영어로 부르고 나니, 사회자가 다시 한국어로 불러달라고 했다. 노래가 끝나니 사회자가 또 물었다.

"혹시 이 노래를 중국어로 부를 수 있으세요?"

나는 이미 대비를 하고 있었기 때문에 당연히 부를 수 있다고 말했다. 내가 중국어로 노래를 부르자 중국 방청객들이 놀라며 열렬한 박수와 환호를 보냈다.

녹화는 아주 순조롭게 진행이 되었다. 원래 한 시간짜리 프로그램이었기 때문에 한 시간 이상을 중국어로 녹화했는데, 한 번의 NG도 없이 끝났다. 사회자는 이 프로그램을 10년 이상 진행하며 출연자가 한 번도 NG를 내지 않은 경우는 없었던 것 같다며 놀라워했다. 나는 이 모든 것이 하나님께서 나에게 담대함을 주시고 그 순간에 지혜로움을 허락하셨기 때문이라 생각하고 하나님께 감사했다.

그리고 몇 달 동안 30여 개국 대사들에 대한 녹화가 진행되었다. 11월 30일 오전에 베이징 금대예술관에서 '주중 외국대사와의 대담' 시리즈 방영에 앞서 방송국에서 주최하는 언론 발표회가 있었다. 그 자리에는 프로그램에 참여했던 대사들과 중국 문화계 인사, 언론계 인사들이 참석했다. 나는 이 자리에서 방송국으로부터 대화 내용의 다양성과 유창한 중국어 구사 능력 등으로 출연 30여 개국 대사 중 '최고의 다재다능 대사 상'을 받았다.

하나님의 영광이 드러나다

베이징텔레비전방송국은 이 프로그램의 첫 방영에 앞서 다음과 같은 내용을 발표했다.

'주중 외국대사와의 대담' 시리즈가 12월 1일 첫 방송을 시작한다. 첫 번째 내용은 〈한국대사의 중국에 대한 애정〉이다.

유창한 중국어 실력을 자랑하는 김 대사는 유머러스하게 방청객과 수많은 시청자들에게 자신의 삶을 솔직하게 드러내었고 스스로 공처가라 시인했다.

한 회당 30분으로 구성된 대사 탐방 프로그램은 인민에 대한 김 대사의 진실됨과 따뜻한 정(情)을 다 담을 수 없었고, 녹화하는 내내 대사와 방청객들의 웃음소리가 끊이질 않았다. 그래서 제작진은 프로그램을 편집할 때 취사선택이 어려워 아까운 장면을 편집해야 했다.

마지막 부분에서는 다재다능한 김 대사가 자신이 좋아하는 곡

을 기타를 치면서 영어, 한국어, 중국어의 3개 국어로 불러 모두
에 대한 진실되고 따뜻한 정을 표시했다.

그리고 12월 1일 내가 출연한 내용이 방송되었다. BTV는 중국의 수
도인 베이징의 최대 방송국으로 중국 전역에서 시청하는 중국인이 수
천 만 명에 달할 것으로 추산되었다. 그런데 내가 출연한 프로그램이
방영된 이후 전국적으로 시청자들의 호응이 너무 뜨거워 방송국이 깜
짝 놀랄 정도였다. 그래서 2006년 중국 최대 명절인 구정 연휴 기간의
황금 시간대에 '한국대사, 한류 다시 일으키다' 라는 제목으로 특별 편
성하여 재방송하기도 했다.

당시 방송국 측에 의하면, 그 프로그램이 방영된 후 베이징 시내의
수천 개 대형 빌딩, 기관과 단체 건물주들의 요청에 따라 프로그램 테
이프를 제공했고, 건물 내 로비와 복도, 엘리베이터 등에 설치된 TV를
통해 내방객들이 방송을 보게 되었다고 했다.

그러던 어느 날, 중국의 방송계 주요 인사를 만나게 되었다. 그가 내
게 말했다.

"이번에 김 대사가 BTV에 출연하여 중국 인민들로부터 뜨거운 반
응을 일으키고 있는 데 대해 중국의 방송계 인사들이 크게 놀랐습니
다. 내가 며칠 전 친구와 만나 이 이야기를 하면서 한국대사가 출연한
프로그램이 왜 그렇게 인기가 있느냐고 물었더니, 그 친구가 '지금 중
국 인민들 사이에서는 한국대사가 하나님을 잘 믿어 하나님께서 그를
보호하셔서 하는 일마다 잘된다' 는 말이 있다고 했습니다."

"그럴 리가요···."

나는 그 말이 믿기지가 않았다. 왜냐하면 중국 사람들이 나를 알 리도 없고 더욱이 중국과 같은 사회에서 하나님을 잘 믿어 일이 잘된다고 말한다는 것을 상상하기 어려웠기 때문이었다.

그런데 2006년 3월에 장쑤성(江蘇省)을 방문하여 뒤에 이야기할 안수훈(가명) 선생을 만났을 때, 그가 하는 말을 듣고 깜짝 놀랐다.

"지금 저는 중국의 많은 크리스천들과 교류를 하고 있습니다. 그런데 최근 많은 중국 크리스천들이 대사님을 위해 기도하고 있다는 이야기를 듣고 깜짝 놀랐습니다. 대사님이 크리스천으로서 중국의 각 분야의 인사들과 접촉하면서, 중국과 중국인들을 위하여 기도하고 담대하게 하나님의 살아계심을 증거하고 있는 데에 중국 크리스천들이 깊은 감동을 받고 있기 때문입니다. 그래서 중국 교계에 대사님의 이름이 크게 회자되면서, 중국의 많은 크리스천들이 대사님을 위해 기도하고 있다고 합니다."

나는 이 말을 들으면서 얼마 전 중국 방송계 인사가 한 말이 근거 없는 말이 아니었음을 깨달았다. 그리고 방송 출연에 앞서 하나님께서 '네가 그것을 통하여 이 땅에서 나의 영광을 드러낼 것이다'라고 하신 말씀을 기억하고, 무릎 꿇고 하나님께 감사의 기도를 드렸다.

> 일어나라 빛을 발하라 이는 네 빛이 이르렀고 여호와의 영광이
> 네 위에 임하였음이니라 사 60:1

중국인을 사랑합니다

2005년 5월 28일에 나는 170여 명의 대표단(무역투자사절단 및 문화사절단)을 이끌고 '한국-충칭시(重慶市) 한중우호주간' 행사 참석 차 충칭에 갔다. 한중우호주간(韓中友好週刊)이란 주중대사관과 중국 지방정부가 공동 주최하는 한중 문화, 경제, 지방 정부와의 교류 등을 목적으로 매년 두 차례씩 각 지방 성의 수도에서 열리는 행사였다.

그날 저녁 나는 충칭에서 활동하는 우리 기업인 및 교민들과 간담회를 가졌다. 간담회장에는 한인회장을 비롯해 15명가량의 기업인들이 참여했다. 간담회가 진행되고 있는 중에 한 사람이 일어서더니 성난 목소리로 말했다.

"대사님! 제가 여기 와서 보일러 공장을 인수했습니다. 인수할 때 돈이 많이 들어서 중국 측이 22퍼센트, 제가 78퍼센트를 투자하는 합작을 했습니다. 그렇게 엄청난 돈을 투자해서 겨우 공장을 정상화시켰는데, 중국 측 동업자들이 이제 와서 저를 쫓아내려고 합니다. 이게 말이 됩니까! 그 사람들을 혼내주십시오."

나는 그의 말을 다 듣고 나서 말했다.

"내가 대사이자 중국 전문가로서 지금 사장님께서 말씀하시는 것을 들으니 사장님은 여기서 장사를 못하시겠습니다. 그렇게 중국 측 동업자를 의심하고 나쁘게 생각하면 여기서 장사해서 성공할 가능성이 전혀 없습니다. 여기 모인 여러분도 마찬가지입니다. 중국에서 사업을 하려면 중국을 사랑하고 중국인을 사랑해야 합니다."

간담회가 끝나고, 만찬장으로 자리를 옮겼다. 식사 중에 아까 화를 내며 말했던 사장이 내 테이블로 와서 말했다.

"아까는 사람들 많은 데서 화를 내어 죄송합니다. 저는 임성룡이라고 합니다."

"임 사장님, 아무리 화가 나더라도 중국인을 사랑해야지, 그렇게 함부로 얘기하시면 안 됩니다. 혹시 기도해보신 적 있습니까?"

"안 해봤습니다."

"그러면 오늘 저녁에 가서 기도 한번 해보십시오. 그저 무릎 꿇고 '하나님 저는 중국을 사랑합니다. 중국인을 사랑합니다. 저와 사업하는 중국 사람도 사랑합니다'라고 기도해보세요. 그러면 내일 문제가 50퍼센트는 해결될 겁니다."

다음 날 아침에 임 사장을 다시 만났을 때 내가 물었다.

"기도하셨어요?"

"했습니다."

"그럼 됐어요. 반은 된 겁니다."

오전에 우리 대표단은 충칭 시장(시장이지만 장관급)과 만나 여러 가지 문제를 협의했다. 그 자리에서 나는 시장에게 보일러 공장 문제를 꺼내고, 상황을 알아봐달라고 요청했다. 그리고 저녁에 시장이 주최하는 만찬이 시작되었다. 시장은 식사 중에 시(市)정부의 관리를 부르더니, 보일러 공장 건을 설명해드리라고 했다. 그 관리가 보고를 했다.

"상황을 알아보고 일단 조치를 했습니다. 지금 상황에서는 반 정도 됐습니다."

나는 '반 정도 됐다'는 말을 듣고 얼른 보일러 공장 임 사장을 불렀다. 그리고 그 관리에게 임 사장과 내가 보는 앞에서 다시 한 번 설명해달라고 했다. 관리는 시장에게 보고한 내용 그대로 사장에게 설명을 했다. 임 사장은 얼굴에 감격한 표정이 역력했다. 만찬이 끝나고 임 사장에게 말했다.

"제가 어제 말씀드렸지요? 중국인을 사랑하는 기도를 하면 50퍼센트는 해결될 거라고요."

임 사장은 고개를 끄덕였다.

"그런데 보일러 공장은 어디 있습니까? 제가 그 공장을 가보고 싶습니다."

"거기 못 오실 겁니다. 아주 외진 곳에 있거든요."

시정부 관리들에게 물어봤더니 그곳은 비포장도로라 승용차가 들어가기 어렵다고 했다. 나는 가기 힘들다는 말에 더욱 가야 한다는 마음이 들었다.

"그래도 가겠습니다."

직원들에게는 시정부에 부탁하여 가능한 한 많은 언론이 내일 취재를 올 수 있도록 협조를 요청하라는 지시를 내렸다.

사랑으로 일으킨 기업

이튿날 아침 공장이 있는 곳으로 갔다. 차에서 내려 걸어 들어가는데 듣던 대로 온통 진흙탕이었다. 충칭의 많은 언론들이 한국대사가 진흙탕을 뚫고 공장을 방문하는 모습을 취재하고 있었다. 공장 견학을 마치고 회사 안으로 들어가니 이미 중국 측 합작 상대들이 기다리고 있었다. 신문사와 텔레비전 방송국 기자들이 나를 따라 들어왔다. 나는 자리에 앉아 회사 측의 브리핑을 청취했다. 브리핑이 끝나자 나는 많은 카메라 앞에서 이렇게 말했다.

"요새 한국 기업인들이 중국에 와서 중국 사람들과 사업을 많이 합니다. 그런데 좋은 관계로 시작했다가 사업이 잘되면 중국 측 동업자들이 처음에 했던 약속을 파기하고 한국 사람을 내쫓고 자기네가 다 차지하려고 하는 일이 있다고 하는데, 저는 충칭에서는 그런 일이 절대 없을 것이라고 믿습니다. 어제 충칭 시장과 당서기를 만났을 때도 그 분들이 한국 기업을 잘 보호할 것이라고 약속하셨습니다."

나는 임 사장을 보면서 말을 이었다.

"사장님, 여기 계신 중국 측 합작 상대 분들은 그런 분들이 아닙니다. 절대 의심하지 마시고, 이분들을 사랑하십시오. 그러면 이분들이 사장님을 적극 도와드릴 겁니다. 지금 이 자리에는 충칭의 많은 언론계 사람들이 와서 우리를 지켜보고 있습니다. 절대로 그런 일은 없을 겁니다. 만일 조금이라도 이상한 일이 생기면 충칭에 내려와 저의 친한 친구인 시장과 당 서기에게 다시 협조를 요청할 겁니다."

그리고 나는 중국 측 합작 상대에게 할 말이 있으면 하라고 했다. 그들은 앞으로 한국인 사장과 협력하여 열심히 하겠다고 말했다. 나는 그들과 기념사진을 찍고 밖으로 나왔다. 그리고 떠나기 전 임 사장을 붙잡고 말했다.

"이제 80퍼센트 정도 됐습니다. 나머지 20퍼센트는 사장님이 기도해야 합니다. 기도하면 나머지도 채워집니다. 하지만 기도하지 않으면 안 됩니다. 기도하시겠어요?"

"예, 기도하겠습니다."

얼마 후, 충칭의 임 사장에게서 전화가 왔다. 중국 측 합작 상대가 보상 조건을 제의하면서 공장을 팔라고 하는데 어떠냐는 것이었다. 나는 보상 조건을 듣고 그 정도면 됐으니 더 이상 욕심을 부리지 말라고 조언했다. 그 후 임 사장이 충분한 보상을 받고 사업을 잘 정리했다며 말했다.

"대사님, 정말 감사합니다. 이 은혜를 어떻게 갚아야 할지 모르겠습니다. 말씀만 하십시오. 대사님께서 하라는 것이면 무엇이든 하겠습니다."

내가 말했다.

"교회에 나가세요. 그리고 하나님을 믿으십시오. 나는 그것 외에는 바라는 것이 없습니다."

임 사장은 알았다며 전화를 끊었다.

얼마 후 충칭한인교회 목사님으로부터 임 사장이 가족과 함께 교회에 나온다는 소식을 들었다. 최근에는 그가 충칭한인교회 목사님을 통해 나에게 이메일을 보내왔다.

저를 힘들게 했던 그 사업은 대사님 덕분에 잘 해결되었습니다.
제가 대사님에게 '이 은혜를 어떻게 갚으면 좋겠습니까?'라고
했더니 아무것도 필요 없다시며 교회에 나가서 하나님만 믿으

면 된다고 하셨지요. 제가 참으로 실천하기 힘든 것 중의 하나
였습니다. 벼랑 끝에 서서 빈손으로 쫓겨나기 직전까지도 사람
이 아닌 신(神)에게 의지한다는 건 상상조차 해보지 않았으니까
요. 대사님이 벼랑 끝에 있는 저를 구해주시고 주님을 영접할
수 있게 해주셨습니다. 신앙생활에 나태해질 때마다 그때의 감
사를 떠올립니다. 주님 안에서 온 가족이 '성공'이 아니라 '승
리'하는 삶을 살도록 노력하겠습니다.

하나님은 참으로 신실하신 분이다. 나를 충청까지 보내셔서 환난에
처한 임 사장을 구하게 하시고, 하나님을 믿게 하셨다. 임 사장을 만난
지 수년이 흘렀기 때문에 나는 그가 지금은 어떻게 변했는지 모른다.
그러나 그는 하나님께 기도하며 중국과 중국인을 사랑하면서, 많은
중국인들로부터 사랑을 받을 것이며, 그를 통해 하나님께서 부어주시
는 은혜를 매일 눈물로 감사할 것이라 믿는다.

chapter 05

기도하고 순종하는 자를 쓰시는 하나님

그날 이후 미스 김이 변하기 시작하더니 점점 뜨거운 기도의 용사가 되어갔다.
'하나님이 내가 기도를 안 하는 것도 아시고 조금 하는 것도 다 아시는구나' 하는 깨달음이
그녀의 기도에 불을 붙이게 한 것이다.

이제 그를 보내라

내가 주중대사로 부임했을 당시, 대사 비서실에는 미스 송이라고
하는 한국인 여비서가 있었다. 전임 대사의 비서였던 그녀는 내 비서
로 계속 근무를 하게 되었는데, 2004년 7월 초 아침에 기도하는데 하
나님께서 '이제는 미스 송을 보내라' 라고 말씀하셨다. 나는 사무실에
출근하여 김한규 비서관(현재 외교통상부 중국과 서기관)을 불러서 미스
송이 비서실에서 근무한 지 얼마나 되었는지 물었다.

김 비서관은 그녀가 전임 대사 때부터 근무하여 4년이 되었다고 했
다. 또 현지 채용 직원들의 인사이동이 몇 년에 한 번씩 이루어지는지
를 물었더니 대개 2년에 한 번씩 근무 부서를 변경한다고 했다. 나는
김 비서관에게 미스 송의 비서실 근무가 오래 되었으니, 이번에 근무

부서를 바꿔주라고 말했다. 그러면서 미스 송 혼자만 갑자기 발령을 내면 사람들이 이상하게 생각할지도 모르니 근무 연수가 2년이 넘는 다른 현지 직원들과 함께 발령을 내도록 하고, 퇴근 때에 미스 송에게도 말해주라고 지시했다.

그날도 어느 때와 같이 점심을 먹고 오니 미스 송이 커피를 들고 내 방으로 들어왔다. 그런데 커피를 내려놓고 나가지 않고 가만히 서 있었다.

"미스 송! 나한테 할 말 있어요?"

"예, 대사님께 드릴 말씀이 있습니다."

"뭔데요?"

"대사님, 저 이제 여기를 떠나야겠습니다."

"김 비서관이 뭐라 그러던가요?"

"아니요, 김 비서관한테 뭐라 그러셨어요?"

"그러면 왜 떠나요?"

"지난 2001년 가을에 대사님께서 부임하셨을 때 저는 대사님께서 1년 반 정도면 중국을 떠나실 것으로 생각했습니다. 그래서 한국에 계신 부모님께도 대사님이 중국을 떠나신 다음에 귀국하겠다고 말씀드렸습니다. 그런데 지금 3년이 되어가는데 상황을 보니 대사님께서 떠나실 가능성이 없는 것 같습니다. 그런 때문인지 최근에 부모님께서 이제는 빨리 한국에 돌아와 시집을 가라고 하도 성화를 하셔서, 며칠을 고민하다가 이렇게 말씀드리는 겁니다."

나는 인터폰으로 김 비서관을 들어오라고 해서 아침에 내가 지시한 내용을 말해주라고 했다. 비서관도 미스 송도 깜짝 놀랐다. 미스 송은 하나님을 믿는 사람이었다. 그래서 하나님은 미스 송의 마음을 아시고, 혹시라도 내가 미스 송의 말을 듣지 않을까봐 나에게 미리 말씀하셨던 것이다. 7월 중순에 미스 송은 한국으로 돌아갔다.

주님이 알고 계시군요

미스 송에게는 중동 지역에 가서 선교사로 활동하는 언니가 있었다. 나는 그녀의 언니를 전혀 알지 못했지만 미스 송이 비서실에 있을 때 가끔 그녀를 통해 언니 선교사에게 헌금을 보낸 적이 있었다. 미스 송이 한국으로 돌아가고 열 달 정도 지난 2005년 5월 중순에 기도를 하는 중에 하나님께서 미스 송의 언니 선교사에게 돈을 보내라고 하셨다.

나는 서울에 있는 미스 송에게 언니의 계좌 번호를 알려달라고 해서 돈을 보냈다. 그 후 미스 송이 서울에서 국제전화를 해왔다. 언니가 자비량 선교사인데 최근 돈이 떨어져 하나님께 기도하고 있던 중에 예상치도 않게 나에게서 돈을 받았다며, 내게 매우 감사해한다고 하면서 울먹였다.

며칠 후 미스 송의 언니 선교사에게서 이메일이 왔다.

나라의 막중한 임무를 수행하고 계시면서도 보다 위에 계신 분을 의지하고 성령의 인도하심을 따라 사시는 대사님이 정말 존경스럽습니다. 저도 대사님을 위해 기도하고 또 동일하게 성령의 음성에 순종하겠습니다. 연약하기만한 저에게 주님이 대사님 같은 중보자, 곧 성령의 감동으로 기도하시는 분을 허락하신 것이 감사할 뿐입니다. 성령으로 중보하시는 분들이 진정 주의 일을 이루어간다고 믿습니다.

물질적인 부분은 염려하지 마십시오. 저희는 기본적으로 자비량을 택했습니다. 될 수 있는 대로 후원에 의지하지 않기로 했습니다. 물론 저희 결단보다는 성령님의 인도하심이 중요하겠지요. 주님의 허락으로 주시는 물질이니 감사히 받았을 뿐입니다. 사실 요즘 어려웠는데 큰 도움이 되었습니다. 주님은 정말이지 잘 알고 계시군요.

언제나 성령께 의지하고 하루하루를 드리시길, 하늘의 복으로 기쁨이 가득하시길 빕니다.

그리고 거의 1년이 지난 어느 날이었다. 아침에 기도를 하는데, 하나님께서 내가 기도하지도 않은 미스 송 언니에 대한 말씀을 주셨다. 말씀의 요지는 '네가 그곳에 너무 오래 머물렀으니 자리를 옮기라'는 것이었다. 나는 오후 1시쯤 서울에 있는 미스 송에게 전화를 해서 내가 기도할 때 받은 말씀을 언니에게 전하면 무슨 뜻인지 알 것이라고 말했다.

한 시간도 안 되어 미스 송이 전화를 해서 흐느끼며 말했다.

"대사님, 언니가 그동안 자리를 옮기는 문제로 고민하며 계속 기도를 해오던 중이었고, 특히 최근에는 사역이 힘들고 두려워 영적으로 많이 침체된 상태였답니다. 그런데 대사님의 기도를 듣고 기운이 용솟음친다며 감사의 말씀을 전해달라고 했어요."

그러면서 미스 송은 이 모든 일이 무척 감동적인 간증이고, 온몸이 떨릴 정도로 흥분된다고 말했다. 나는 기도하면서 받은 말씀 전문(全文)을 미스 송의 언니 선교사에게 이메일로 보냈다.

얼마 후 그 선교사의 남편이 답장을 보내왔다.

정말 한 줄 한 줄 가슴이 미어졌습니다. 지금까지 힘겨운 나날이 많았습니다. 저희도 그동안 기도 중이었습니다. 성령님께서 장로님을 통해 저희에게 메시지를 주신 것으로 생각됩니다.

나중에 미스 송이 신기한 듯 나에게 물었다.
"대사님! 도대체 어떻게 이런 일이 일어날 수 있죠?"
"하나님이 하시니까 가능한 일이지."
이 두 사건을 통해서 미스 송은 하나님의 살아계심을 더욱 확실히 믿게 되었다.

기도의 용사 미스 김

미스 송이 한국으로 돌아가게 되자, 총무과에서 두 명의 후임 여비서 명단을 나에게 주었다. 한 사람은 미스 조였고, 한 사람은 미스 김이었다. 누가 적임자인지를 하나님께 여쭈었더니 미스 조라는 마음을 주셔서 총무과에 연락해서 그녀가 비서실로 와서 근무를 할 의사가 있는지 알아보라고 지시했다. 그런데 알아보니 미스 조는 이미 약혼을 했고 곧 결혼할 예정이기 때문에 조만간 대사관 근무를 그만둘 것이라고 했다.

나는 하나님께 다시 기도를 했다.

'하나님, 미스 조가 안 된답니다. 그러면 미스 김으로 할까요?'

'안 된다.'

'그러면 미스 김이 아닌 다른 사람으로 구할까요?'

'그것도 안 된다!'

'그럼 어떻게 하라는 말씀입니까? 왜 미스 김이 안 된다는 겁니까?'

'그 아이가 나를 믿지만 기도를 안 한다.'

다음 날 나는 미스 김을 불렀다.

"미스 김, 예수님 믿어요?"

"네, 믿습니다."

"기도해요?"

"기도합니다."

"그래요? 내가 알기로는 기도를 안 하는데요."

당사자가 기도한다는데 내가 안 한다고 하니, 미스 김은 깜짝 놀란 표정이었다.

"대사님이 어떻게 아십니까?"

내가 기도한 얘기를 했더니 미스 김이 울먹이면서 대답했다.

"죄송합니다. 사실 제가 기도를 안 합니다."

미스 김에 관한 서류를 보니 그녀의 아버지는 목사님이었다.

"미스 김은 목사님 딸인데, 왜 기도를 안 해요? 하나님은 미스 김이 기도하기 원하시는 것 같아요. 미스 김, 기도하면서 비서실 근무를 할 거예요? 아니면 기도 안 하고 비서실 근무를 안 할 거예요?"

"기도를 하겠습니다."

"약속할 수 있어요?"

"약속하겠습니다."

"좋아요! 그러면 비서실 근무 발령을 내도록 할게요."

그렇게 해서 미스 김이 비서실 근무를 시작하게 되었다.

몇 달이 지났을까 나는 미스 김이 기도를 하는지 궁금했다. 그래서 하나님께 여쭀다.

'하나님! 미스 김 요새 기도합니까?'

'안 한다.'

나는 미스 김을 불러 다시 물었다.

"미스 김, 기도해요?"

"…."

"약속을 하고 왜 안 해요?"

미스 김이 울기 시작했다. 그녀는 눈물을 닦으며 기도를 하겠다고 했다.

기도를 조금 한다

몇 달이 지난 후 나는 다시 하나님께 여쭤보았다.

'하나님, 미스 김 요즘 기도합니까?'

'조금 한다.'

그날 내 방에 커피를 가지고 온 미스 김에게 물었다.

"기도해요?"

"합니다."

"그런데 조금 하죠?"

그녀가 깜짝 놀라 나를 쳐다보았다. 내가 말했다.

"하나님께서 미스 김이 기도를 하기는 하는데, 조금 한다고 하셔."

미스 김은 내 말을 듣고는 흐느껴 울기 시작했다. 자신의 모든 것을 살살이 아시는 하나님께 대한 두려움과 죄송함과 감사의 눈물인 것 같았다.

그날 이후 미스 김이 변하기 시작하더니 점점 뜨거운 기도의 용사가 되어갔다. '하나님이 내가 기도를 안 하는 것도 아시고 조금 하는 것도 다 아시는구나' 하는 깨달음이 그녀의 기도에 불을 붙이게 한 것이다.

> 여호와께서 하늘에서 굽어보사 모든 인생을 살피심이여 곧 그
> 가 거하시는 곳에서 세상의 모든 거민들을 굽어살피시는도다
> 그는 그들 모두의 마음을 지으시며 그들이 하는 일을 굽어살피
> 시는 이로다 시 33:13-15

기도를 열심히 하기 시작한 미스 김은 내가 봐도 놀랄 정도로 믿음이 쑥쑥 자라났다. 말이나 행동이나 목소리나 모든 것이 옛날의 그녀가 아니었다.

하루는 내가 물었다.

"미스 김, 요새 기도 많이 해요?"

"네! 많이 합니다."

말 한마디에서 힘이 넘치고, 담대해진 그녀의 영적 상태가 보였다.

다른 곳으로 가라

2006년 5월 어느 날, 기도를 하는데 하나님께서 미스 김을 다른 곳으로 보내라고 하셨다.

나는 점심 때 미스 김을 불렀다.

"미스 김이 여기 온 지 얼마나 됐죠?"

"1년 10개월 정도 됐습니다."

"1년 10개월이라… 이제 다른 데로 가야겠네요."

내가 말을 마치자마자 미스 김이 내 책상에 엎드리더니 엉엉 울었다. 이야기를 들어보니 미스 김이 얼마 전에 참석한 부흥회에서 한 목사님이 자신을 위해 기도하시면서 "이제 거기를 떠나라"라고 했다는 것이다. 그 기도를 듣고 '내가 어디를 가나?' 하고 있는데 내가 그런 말을 한 것이다.

나는 '이 기도의 용사를 어디로 보내나?' 생각했다. 당시 대사관 영사부에 탈북자를 관리하는 직원이 있었는데 성실하게 탈북자들을 돌보는 훌륭한 직원이었다. 이 업무는 기본적으로 탈북자들을 진정으로 사랑하는 마음이 없으면 제대로 수행하기 어려웠다. 그런데 이 직원이 그해 가을에 본부로 귀임하게 되어 있었다. 후임을 찾는데 성심성의껏 탈북자들을 먹이고 입히고, 그들이 불평하면 받아주는 일을 할 직원이 보이지 않았다.

나는 하나님께 미스 김을 영사부로 보내겠다고 말씀드렸다. 하나님께서는 그렇게 하라고 하시면서, 미스 김을 위한 말씀을 주셨다.

준비된 자를 쓰시는 하나님

5월 말이 되어 미스 김이 영사부로 가게 되었다. 나는 미스 김에게 지난 기간 동안 비서실에서의 노고를 위로하고 하나님께서 주신 말씀을 주었다.

> 사랑하는 딸아, 너는 내가 사랑하는 딸이라.
> 이제 네 마음속에 오직 나를 사랑하는 마음만 가득하고,
> 나에 대한 감사의 눈물이 가득하니, 네가 장하도다.
> 네가 이제 내 앞에 굳게 섰음을 내가 보노라.
> 너는 이제부터 나를 위해 많은 일을 할 것이라.
> 너를 통해 많은 영혼이 구원받을 것이며,
> 너를 통해 많은 놀라운 일들이 일어나리라.

너의 간구가 이루어지고,

네가 하는 말들이 이루어짐을 보게 되리라.

너는 강한 자로다.

네가 담대하게 하는 말을 아무도 거역할 수 없을 것이니,

너는 끊임없이 나를 전하라. 그러면 네 주위가 변화되리라.

이제 너는 새로운 곳에서 그들을 변화시켜라.

그들을 위해 눈물로 기도하면 놀라운 일이 일어나리라.

너는 기도하며 그들을 변화시켜라.

그것이 나의 계획이었음을 너는 알게 되리라.

너는 계속 기도하라. 그리고 오직 나만 의지하라.

그러면 내가 너를 크게 축복할 것이며,

너를 통해 많은 일을 할 것이라.

너는 내가 사랑하는 딸이라. 내가 너를 깊이 사랑하노라.

미스 김은 기도문을 읽으면서 엉엉 울었다. 그리고 그녀는 곧 영사
부로 자리를 옮겼다.

얼마 후 영사부에서 탈북자를 담당하는 직원이 내게 와서 말했다.

"대사님! 제가 그동안 기도하는 사람을 보내달라고 몇 달이나 하나
님께 기도했습니다. 그런데 대사님께서 기도의 용사 미스 김을 보내
주시니 정말 감사합니다."

나는 하나님께서 미스 김을 나에게 보내서서 1년 10개월 동안의 훈
련을 거쳐 기도의 용사로 만드신 이유를 알게 되었다. 그녀는 얼마 후

탈북자 전담 직원이 한국으로 돌아간 다음, 그 일을 맡아 누구보다도 탈북자들을 사랑하는 마음으로 그들을 위로하고 도와주었다. 정규 외교관들이 해야 하는 일을 젊은 여성이 훌륭하게 척척 해낸 것이다.

미스 김이 영사부로 옮긴 후, 어느 날 목사님인 그녀의 아버지가 나를 찾아왔다. 목사님은 울면서 나에게 말했다.

"대사님! 정말 감사합니다. 제가 그렇게 오랫동안 딸아이에게 말을 해도 안 들었는데 대사님과 일하면서 그 아이가 이제는 기도의 용사가 됐습니다. 목사인 저도 못했는데 대사님께서 그 아이를 변화시켜 주셨습니다. 참으로 감사합니다."

"제가 한 것이 아닙니다. 하나님께서 하신 것입니다."

사실이 그랬다. 내가 그녀가 기도하는지, 안 하는지 조금 하는지 어떻게 알 수 있겠는가. 미스 김의 부모님과 주변의 성도들이 얼마나 많은 기도를 했을까. 그들의 기도가 쌓여 하나님께서 그녀를 나에게 보내시고 하나님의 일을 위해 준비시키신 것이다.

몇 달 전에 나는 미스 김을 만날 기회가 있었다. 그녀는 대사관 일을 그만두고 공부를 하고 있었다.

"미스 김, 기도 많이 하지요?"

"많이 하고 있습니다."

나는 참으로 기뻤다.

"미스 김은 이제 기도의 용사가 아니라 전사(戰士)예요."

"저는 장관님을 제 아버님만큼 귀하게 생각합니다. 제게 영적인 도전을 주시고 변화의 계기를 주셨으니까요. 저는 언제 어디서나 항상 장관님을 위하여 기도하고 있습니다."

지금 그녀는 기도를 통해서 무엇이든지 할 수 있다는 확신을 가지고 열심히 공부하고 있다. 나는 그녀가 언젠가 하나님의 영광을 드러내기 위하여 지금보다 더 많은 일을 하게 될 것으로 굳게 믿고 있다.

최고의 중국어 통역관

주중대사로 있는 동안 200명이 넘는 외교관들의 도움을 받으면서 임무를 수행했다. 모든 직원들이 다 고생했지만, 그중에서도 가장 기억에 남는 직원이 여소영 서기관이다. 그녀는 초등학교와 중·고등학교 12년을 한국에 있는 화교 학교를 다닌 아주 독특한 경력을 가진 직원이었다. 그리고 6년 동안 대만 최고의 대학인 국립대만대학에서 정치학(국제관계) 학사와 석사를 마쳤다. 어릴 적부터 중국 전문가가 되기 위하여 준비를 해온 것이다.

1999년 대통령 중국어 통역으로 선발된 그녀는 지금은 은퇴한 이영백 공사참사관의 뒤를 이은 대한민국 최고의 중국어 통역이다. 그동안 언론에서도 많이 보도가 되었지만, 여 서기관의 중국어 실력은 원자바오 총리를 비롯한 중국 정부 인사들로부터 중국인이 아닌 전 세계 외국인 중에서 최고라는 평가를 받고 있다.

무엇보다 여 서기관은 하나님의 사람이었다. 여 서기관은 누가 그녀를 비판하고 욕해도 무조건 참았고, 아무리 어렵고 힘든 일을 시켜도 아무 말 하지 않고 묵묵히 해냈다. 내가 대사로 있을 때 아마도 대사관에서 밤을 가장 많이 새운 직원이 그녀였을 것이다. 나는 4년 동안 여 서기관을 지켜보면서, 그가 오직 하나님께 기도하며 말씀에 순종하는 사람이라는 것을 알게 되었다.

남북통일을 위해 19년간 기도하다

내가 통일부 장관이 되었을 때, 통일부 장관은 다른 장관들과 달리 자신이 원하는 두 명의 정책보좌관을 둘 수 있다는 것을 알게 되었다. 나는 정책보좌관 둘 중 한 명을 외교통상부 서기관급 직원 중에서 외무고시에 합격한 직원을 데려오려고 생각했다. 남북관계를 다루는 데 있어 국제관계 측면에서 보아야 할 점이 많고, 그런 면에서 외교통상부와의 소통이 필요했기 때문이다. 그런데 규정을 보니까 정책보좌관은 일반직 공무원을 임명할 수 없고, 반드시 별정직이나 계약직으로 임명해야 했다.

나는 고민이 되었다. 외교통상부 직원들은 거의 대부분이 일반직이라 통일부로 잠시 데려올 수 있는 직원이 없었기 때문이다. 있다고 하면 여 서기관 같은 별정직 전문가뿐이었다. 그래서 장관으로 귀임할 때 잠시 나를 수행했던 주중대사관의 서두현 통일관(현재 통일부 통일원 교육협력과장)에게 혹시 여 서기관을 보좌관으로 데려오면 어떨지를 물었다.

그런데 서 통일관이 대답을 하지 않고 가만히 있는 것이었다. 내가 왜 그러냐고 물었더니, 서 통일관이 말했다.

"장관님께서 그 말씀을 하실 때 놀라서 소름이 끼치고 심장이 멎는 것 같아 말씀을 드리지 못했습니다. 사실 지난해에 여 서기관이 제 방에 몇 번 찾아와서는 통일부에 가서 잠시 일을 해보고 싶은 생각이 있는데, 방법이 없겠느냐고 물었습니다. 그래서 제가 여 서기관은 아직 직급이 안 되니 인적 교류 대상이 아니라고 설명해주었습니다. 그런데 여 서기관이 계속 저를 찾아와서 같은 이야기를 하는 것이었습니다. 그래서 제가 왜 통일부에서 잠시라도 일을 해야 하는지 물었습니다. 그랬더니 여 서기관이 자신이 중학교 2학년 때부터 지금까지 19년간 남북통일을 위하여 기도해오고 있으며, 자신의 정치학 석사학위 논문의 주제가 '남북통일'이라고 했습니다. 그런데 지금 장관님께서 말씀하시는 순간 저는 정책보좌관 자리가 여 서기관을 위해 예비된 자리라는 것을 알았습니다."

나는 여 서기관을 통일부 장관실로 오라고 했다. 그리고 자초지종을 이야기해보라고 했다. 여 서기관은 서 통일관이 한 말과 똑같은 이야기를 했다. 나는 외교통상부 장관에게 여 서기관을 잠시 정책보좌관으로 데려갈 테니 양해해달라고 했다. 그러면서 내가 장관을 그만두면 여 서기관을 외교통상부에서 도로 채용해달라고 요청했고, 외교통상부에서 동의했다.

여 서기관은 내가 통일부 장관으로 재임하는 1년 동안 정책보좌관으로 아주 훌륭하게 나를 도왔다. 나는 남북통일을 위해 오랫동안 기도해온 여 서기관의 기도를 들으신 하나님께서 그녀의 간구를 들어주시고, 또 나의 보좌관으로 보내주신 것을 지금도 감사하게 생각한다.

그리고 여 서기관이 오랫동안 나와 주중대사관을 위해 기도해준 것에 대해 고맙게 생각한다.

세상의 많은 사람들이 오직 세상적인 것만을 향하고 있는 이때, 나라와 민족을 위하여 오랫동안 눈물로 기도해온 여 서기관을 장차 하나님께서 들어 쓰실 때를 나는 기다리고 있다.

독수리처럼 지키다

중국 남부 지방에 주미희(가명)라고 하는 하나님을 사랑하는 딸이 있었다. 우리는 그녀를 '주 선생'이라고 불렀다. 그녀는 자기 본연의 일을 하면서도 하나님을 위한 일도 열심히 했다. 나는 주 선생을 만나 그녀의 신실함에 감동을 받고 나서 매일 중보기도를 하기 시작했다.

2005년 6월 18일 밤, 주 선생을 위해 기도할 때였다. 별안간 다급한 상황에 처한 통변이 나왔다.

'하나님, 어쩌면 좋습니까? 어떻게 이런 일이 저한테 생깁니까? 어쩌면 좋습니까?'

나는 기도를 중단하고 바로 주 선생에게 전화를 해서 혹시 무슨 일이 있느냐고 물었다. 그러나 주 선생은 아무 일이 없다고 하면서 감사하다고만 했다. 그 다음 날 밤에 다시 주 선생을 위한 기도를 하는데, 어제와 똑같은 기도가 나왔다.

나는 기도를 중단하고 주 선생에게 전화를 걸었다.

"주 선생님, 무슨 일이 있으시지요?"

"그렇지 않아도 오늘 두 번이나 대사님께 전화를 했는데 통화가 되지 않았습니다. 사실 며칠 전부터 저희 집에 이상한 일이 생겨 고민하고 있었습니다. 어제는 대사님 전화를 받고 아무 일도 없는 것처럼 대답을 했지만 아무래도 진실을 말씀드려야 할 것 같아 전화를 드렸던 겁니다."

그러면서 그녀는 자신의 고민을 털어놓았다. 들어보니 어느 집안에서나 흔히 있을 수 있는 일이었다. 나는 주 선생에게 절대로 당황하지 말고 조용하고 담대하게 처리하되, 우선 기도하는 사람들이 모여 중보기도를 시작하라고 조언했다. 나 역시 기도하기 시작했다.

다시 며칠이 지나 주 선생을 위한 기도를 하는데 문제가 풀리기 시작한 것 같은 느낌이 왔다. 나는 주 선생에게 전화를 했다. 주 선생은 그렇지 않아도 문제가 해결되기 시작했다고 말했다. 그로부터 이틀 후 주 선생은 다음과 같은 이메일을 보내왔다.

금번 일로 인해 대사님이 바쁘신 중에도 부족한 저희들을 위해서 기도해주심을 알았을 때 얼마나 큰 힘이 되었는지요. 대사님 전화 받고 저는 3일, 아들은 5일 동안 금식기도를 하며 마귀를 대적하고 마음에 평안을 찾았습니다.

아들이 밤에 기도하다 잠깐 잠들었는데 꿈에 비둘기 두 마리가 날아와 한 마리는 저희 집 창가에, 한 마리는 남편 사무실 창가에 앉더라는 거예요. 그리고 큰 독수리 한 마리가 날아와 지붕 위에 앉아 이쪽저쪽을 살피는데 아들은 그 독수리가 베이징에 계신 김 대사님이시라는 겁니다. 그러면서 걱정하지 말라며 하나님의 응답을 받았다고 간증하더군요. 이런 일로 하여금 저희들은 다시 한 번 우리를 점검하고 겸손해지며 주님을 체험할 수가 있었습니다.

기도 안 합니다

그로부터 1년 후인 2006년 5월 20일 밤이었다. 주 선생을 위한 기도를 하는데, 내 의지와 상관없이 내 몸이 옆으로 픽 쓰러졌다. 그러더니 몸이 뒤틀리면서 뻣뻣해졌다. 나는 깜짝 놀라서 급히 주 선생에게 전화를 걸었다.

"선생님! 뭐하세요?"

"누워 있습니다."

"왜 누워 계세요? 기도 안 하세요?"

"기도 안 합니다."

"왜 그러세요?"

"저, 기도하기 싫습니다."

"하나님 믿는 분이 기도 안 하시면 어떻게 해요?"

"모르겠습니다."

"제가 지금 선생님 기도하다가 쓰러졌거든요. 그리고 몸이 뻣뻣해지고 마비가 오는데요."

"네? 뭐라고요?"

주 선생이 깜짝 놀라는 것 같았다. 그리고 울면서 말했다.

"최근 군대에 간 둘째 아들이 교통사고를 당해 허리를 다쳤는데 군에서는 군병원에서 디스크 수술을 하라고 한답니다. 그런데 아들은 기도하면서 수술하지 말고 기다리라는 응답을 받았다는 거예요. 군대에서는 수술을 하라고 하고 아들은 수술 대신 밖에 있는 민간 병원에서 물리치료를 받고 싶다는데, 저희들이 중국에 온 지 10년이 넘어 의료보험도 없고, 그렇다고 아들 면회하러 한국에 갈 돈도 없고, 기도밖에 할 것이 없잖아요.

오늘은 아들이 국제전화를 해서 울면서 며칠 있으면 어쩔 수 없이 수술을 해야 한다고 하는데, 저는 기도만 하고 있으니 답답하기가 말할 수 없었습니다. 마음이 너무 힘들고 지쳐서 기도하는 것조차 어려워 그냥 드러누웠습니다. 그리고 하나님께 '아들이 죽으면 국립묘지요, 살면 하나님의 일 하는 거죠. 저는 모르겠습니다' 하고 있는데 별안간 제 몸이 뻣뻣해지기 시작했습니다. 바로 그 순간에 대사님께서 전화를 주신 겁니다."

나는 그 말을 들으면서 전율을 느꼈다. 나는 주 선생에게 내가 도울 테니 아무 걱정하지 말고 기도나 열심히 하라고 말했다. 그리고 나도 주 선생의 아들을 위해 간절히 기도하는 중에 그가 수술을 받지 않아도 좋다는 응답을 받았다.

다음 날 나는 사무실에 출근해서 대사관 내 무관부(武官部)에 지시하여 주 선생 아들이 입원해 있는 군병원에 연락해 현재 상황이 어떤지 알아보라고 했다. 그리고 그 사병이 나이도 어리고 본인이 수술 받는 것을 원치 않으니 가능하다면 외부에서 물리치료를 받게 해줄 수 있는지를 알아보라고 했다. 그의 부모가 중국에서 아주 어렵게 생활하는 사람들이니 가능한 대로 도와주면 좋겠다는 말도 덧붙였다.

얼마 후 무관부에서 보고를 했다. 주 선생 아들이 입원해 있는 군병원에서 정확한 상황을 알고 난 다음에, 무리하게 수술을 하지 않고 밖으로 데리고 가서 물리치료를 받게 해주겠다고 한다는 것이었다. 나는 하나님께 깊은 감사의 기도를 드렸다. 주 선생의 아들은 그 후 여러 가지 물리치료를 받아 결국 수술을 하지 않고 허리를 고칠 수 있게 되었다.

하나님은 자기를 누구보다도 사랑하는 주 선생을 아끼셨다. 그래서 그녀에게 무슨 일이 생기거나 어려운 일이 닥치면 반드시 나를 통하여 그녀에게 알리고, 그럼으로써 그녀에게 힘과 용기를 주셨다. 하나님께서는 당신을 사랑하는 자들을 언제 어디서나 눈동자같이 지키신다는 것을 확인한 놀라운 경험이었다.

나를 눈동자 같이 지키시고 주의 날개 그늘 아래에 감추사 시 17:8

지친 자를 일으키시는 하나님

2006년 3월 중순, 나는 장쑤성 난징(南京)으로 출장을 갔다. 난징 방문을 준비 중에 상하이 인근에서 거주하고 있는 안수훈(가명)이라고 하는 한국인이 비서실을 통하여 연락을 해왔다. 그는 자신이 하나님을 위하여 일을 하고 있는데, 난징에 오실 기회가 있으면 나를 꼭 만나고 싶다는 것이었다. 나는 하나님께 기도했다.

'하나님 그 사람을 만나야 합니까?'

'만나라.'

하나님은 그에게 돈을 주라는 생각도 주셨다. 나는 하나님께 구체적으로 얼마를 주겠다고 말씀드렸다. 그러나 하나님께서는 더 주라고 하셨다.

'그럼 두 배를 주겠습니다.'

'그렇게 해라.'

나는 100달러짜리로 하나님이 말씀하신 만큼의 금액을 준비했다. 그리고 그 돈을 강형식 비서관(현재 외교통상부 서기관)에게 맡기고, 난징에 가면 도로 달라고 했다. 장쑤성에 도착한 후 나는 안 선생과 아침 식사를 하기로 했다.

식사를 하러 가기 전 나는 강 비서관에게 내가 베이징에서 맡긴 돈을 달라고 했다. 그리고 봉투에 넣으려는데 아무리 생각해도 액수가 많은 것 같았다. 솔직히 내가 잘 아는 사람도 아니고 처음 보는 사람한테 많은 돈을 주기가 아까웠다. 그래서 나는 돈을 두 개의 봉투에 나누어 넣은 뒤 비서관에게 말했다.

"내가 식사가 끝난 후에 봉투를 한 개만 주어도 될 상황이면 그냥 한 개만 주고, 만일 두 개를 다 주어야 할 상황이면 테이블 밑으로 봉투 두 개를 줄 테니 자네가 돈을 봉투 하나에 합쳐서 나에게 주게."

그리고 두 개의 봉투를 양복 좌우 안주머니에 하나씩 넣은 다음 식

당으로 내려갔다. 식당에는 이미 안 선생과 그 지역 한인교회 장로님
이 와서 기다리고 있었다.

안 선생은 자신이 10여 년 전부터 중국에서 하고 있는 사역에 관한
이야기를 했다. 나는 설명을 다 들은 후, 베이징을 떠나기 전에 하나님
께서 안 선생에게 주신 말씀을 정리한 기도문을 주었다. 그 기도문에
는 하나님께서 그가 얼마나 열심히 일을 하고 있는지, 그가 주의해야
할 일은 무엇이며 누구를 조심해야 하는지, 지금 하는 일이 얼마나 하
나님을 기쁘게 하는 일인지와 하나님께서 그를 얼마나 사랑하는지가
자세히 적혀 있었다.

안 선생은 눈물을 글썽이면서 자신이 오랫동안 하나님을 위하여 일
을 해왔지만, 문서로 하나님의 말씀을 받은 것은 평생 처음이라고 했
다. 지난 시간 동안 중국에서 일하면서 몸과 마음이 지쳐 있었는데, 기
도문을 읽는 순간 자신의 몸에 불꽃같은 힘이 솟구치고, 앞으로 이곳
에서 자신이 해야 할 일이 무엇인지 분명히 알게 되었다고 했다. 그러
면서 하나님의 영광을 위해 더욱 열심히 일하겠다고 말했다.

다 주어라

식사를 마치고 일어설 때가 되어 내가 손을 양복 안주머니에 넣어
봉투 하나를 꺼내려 할 때였다.

'돈을 다 주어라!'

성령께서 내게 말씀하셨다. 나는 할 수 없이 양쪽 주머니에 있던 두

개의 봉투를 꺼내어, 테이블 밑으로 비서관에게 건네주었다. 비서관은 두 개의 봉투를 다시 한 개의 봉투에 합쳐 나에게 주었다. 나는 안 선생에게 하나님께서 주라고 하셔서 드리는 것이라고 하면서 봉투를 건넸다. 그는 감사하다고 하면서 봉투를 받았고 우리는 헤어졌다. 나는 식당에서 나와 주일예배에 참석하기 위해 근처에 있는 한인교회로 갔다.

예배가 끝나고 교회를 나오려는데 안 선생이 긴히 할 말이 있다고 나를 찾아왔다. 나와 안 선생은 아침을 함께한 교회 장로님과 강 비서관과 함께 호텔 커피숍으로 갔다.

안 선생이 흥분된 목소리로 말했다.

"아침에 대사님과 헤어져 숙소로 돌아온 다음에 봉투를 보니 100달러짜리가 많이 들어 있어 깜짝 놀랐습니다. 사실 저는 어제 저녁에 대사님을 뵙기 위하여 미리 이곳에 도착해서 오래 전부터 제가 훈련시켜 온 이곳 크리스천들을 만났습니다. 그들은 이제 교회를 이끄는 지도자들이 되어 있었습니다. 그들은 조만간 자신들이 연합으로 모임을 가지려 하는데 제가 도움을 줄 수 있겠느냐고 했습니다. 그러나 저는 가진 것이 전혀 없어, 오늘 다시 만나면 교육 정도만 해줄 생각이었습니다. 그런데 대사님께서 주신 100달러 지폐 갯수와 그 지도자들의 숫자가 같은 것을 보고, 이 돈은 나에게 주신 것이 아니라, 하나님께서 대사님을 통해 그 사람들의 모임에 불을 지피시려고 보낸 것을 확신했습니다. 저녁에 제가 그들을 만나 이 모든 일을 그대로 전할 것입니다."

그의 말을 들으며 나는 깊은 감동을 받았다. 그리고 생각했다.

'만일 내가 성령님의 말씀에 순종하지 않아 주라고 하신 액수의 절반만 전했다면 어땠을까.'

내가 순종했기 때문에 이와 같은 놀라운 일이 일어났던 것이다. 나는 그 후의 상황은 모르지만, 하나님께서는 틀림없이 또 다른 방법으로 그 돈을 놀라운 일에 사용토록 하셨을 것이라 믿는다.

매일 300명 중보기도

요즘도 내가 매일 기도하는 중보기도 대상자는 평균 300명이다. 이 리스트는 성령님께서 적절한 때에 바꾸게 하신다. 그 사람의 현재 상황과 기도가 얼마나 필요한지에 따라 결정되는데 그것은 기도해보면 알 수 있다.

'아! 이 사람은 기도가 필요하구나!'

기도할 때 성령님께서 '이 사람은 더 이상 안 해도 된다'는 마음을 주는 사람은 뺀다. 그 사람들은 충분히 기도가 쌓여서 더 기도가 필요하지 않거나 하나님께서 더 이상 그들을 위해 기도하기를 원하지 않는 사람들이다.

300명을 기도하는 데 평균 1시간 정도 걸린다. 처음에는 훨씬 오래 걸렸다. 타자도 처음에는 독수리 타법으로 똑딱똑딱 하지만 능숙해지면 자판을 보지도 않고 술술 치지 않는가. 기도도 똑같다. 한참을 기도하다가 기도가 특별히 더 필요한 사람이나 사정이 급한 사람이면 5분도 기도하고 10분도 기도할 수 있다. 그러나 보통은 10~15초면 된다.

예수님이 제자들에게 가르쳐주신 기도인 주기도문을 읽어보라. 15~20초면 된다. 사도신경은 25초에서 30초가 걸린다. 한 사람을 위해 기도하면서 사도신경만큼 축복하면 상당히 많이 하는 것이다. 성경을 봐도 사도신경 분량만큼 축복하는 내용이 얼마나 있는가.

'하나님! 이 사람에게 복을 주시고, 건강 주시고, 자녀 축복하여 주시고, 요즈음 이런 점이 어렵다고 하는데 도와주십시오.'

이렇게 하다보면 1분에 너댓 명을 위해 기도할 수 있고, 1시간이면 상당수의 사람을 위해 기도할 수 있다. 훌륭한 타자가 배트 중심에 공을 정확히 맞추듯이, 뛰어난 투수가 스트라이크존에 공을 집어넣듯이 탁탁 들어간다. 처음에는 계속 볼만 들어갈 수도 있다. 그러다가 조금 지나면 스트라이크도 됐다 볼도 됐다 하지만, 나중에는 계속 스트라이크만 꽂아 넣는 식이다.

나는 은퇴한 다음에도 수많은 사역자들과 이메일을 주고받으며 기도제목을 나누고 기도하느라 잠 잘 시간이 부족했다. 컴퓨터 앞에 앉아서 메일 내용을 하나하나 읽고, 하나님께 기도를 아뢰고, 하나님이 주신 말씀을 받아 적은 후에 답장을 보내고 하다보면, 새벽 3시가 훌쩍 넘을 때도 많았다. 하루는 이런 생각이 든 적도 있다.

'아, 내 기도는 못하고 이거 뭐하는 거지?'

그래도 기도하는 것이 기쁘다. 메일함을 열어보면 절박한 기도가 있고 그럼 기도할 수밖에 없다. 지치고 힘든 영혼들을 위해 기도하고 그들에게 하나님 마음을 전하면, 눈물을 흘리고 힘을 얻으며 감사하는 것을 보면서 또 힘을 얻는다. 나는 오래 전부터 연하장이나 크리스마스 카드를 보내지 않았다. 또한 인적(人的) 네트워크도 하지 않았다. 최고의 인간관계는 내가 그 사람을 위해서 기도하는 것이라고 생각했기 때문이다. 나는 기도해야 할 것이 너무 많아, 비록 현직에서 은퇴했지만 한가롭게 놀러 다닐 시간이 없다. 나는 이렇게 성령님과 함께하는 시간이 참으로 즐겁다.

기도하면 수치를 당하지 않는다

한번은 내가 어디에 가서 사람들과 이야기를 나누다가 사람들이 자꾸 나에게 간증을 요청하는 통에 떠밀려 이야기를 시작했다. 사람들이 많은 집회에서는 말을 조심하기 마련인데, 10여 명밖에 없는 자리이다보니까 나도 모르게 여러 가지 이야기를 많이 하게 되었다.

모임이 끝나고 나오는데 한 낯선 선교사가 오더니 나에게 종이를 주면서 조금 전에 성령님께서 자신에게 몇 가지 말씀을 주시면서 내게 주라고 했다는 것이다. 그리고 그 말씀 중에 나한테 주시는 말씀이 있다고 했다.

나는 자동차를 타고 가면서 종이를 펴 보았다. 종이에는 몇 개의 성경 장절이 적혀 있었다. 나는 각 구절을 찾아 본 다음 너무 놀랐다. 그 말씀 중 하나가 "자랑하지 말라"는 말씀이었다. 하나님께서는 선교사도 모르게 몇 가지 말씀 속에 나에게 주실 말씀을 주심으로써 내가 부끄럽지 않게 해주신 것이다. 나는 집으로 돌아와 하나님께 무릎 꿇고 깊이 회개하고 감사기도를 드렸다.

기도하는 자는 어떠한 경우에도 수치나 부끄러움을 당하지 않는다. 사람의 마음 깊은 곳에는 남들로부터 업신여김과 부끄러움을 당하지 않기를 원하는 마음이 있다.

내가 돈이 없고, 명예가 없고, 권력이 없어도 남들이 나를 업신여기지 않고, 인정해준다면 괜찮다. 사람들은 남이 나를 업신여길까봐, 그로 인하여 내가 부끄러움 당할까봐 두려워한다. 그래서 자신을 과시하려고 큰 집을 사고, 좋은 차를 사고, 비싼 옷을 입는다. 그리고 자녀들을 좋은 학교에 보내려고 별의별 궁리를 한다. 그들의 삶에는 과장과 거품이 많고 거짓도 많다. 그러나 오직 사람에게 의지하는 삶을 산다면, 돈이 아무리 많고 명예와 권력이 있어도 한순간에 부끄러움을 당하는 것을 우리는 자주 본다.

시편에 보면 하나님을 경외하는 사람은 항상 수치를 당치 않고 반대로 하나님을 업신여기고 하나님의 사람을 업신여기는 경우는 수치를 당한다고 말하고 있다.

그들이 주께 부르짖어 구원을 얻고 주께 의뢰하여 수치를 당하지 아니하였나이다 시 22:5

주를 바라는 자들은 수치를 당하지 아니하려니와 까닭 없이 속이는 자들은 수치를 당하리이다 시 25:3

우리는 다 죄인이다. 이 세상에 죄 없는 사람이 어디 있는가? 그러나 하나님께서 그 죄를 사해주시거나 드러내지 않으실 따름이다. 하나님께서는 비록 죄인이라 해도 회개하고 기도하면 그 죄를 세상에 드러내지 않으심으로써, 그가 다른 사람들에게 수치를 당하지 않도록 해주시는 것이다.

> 허물의 사함을 받고 자신의 죄가 가려진 자는 복이 있도다
>
> 시 32:1

chapter 06

하나님의 대사로 살다

저는 더 이상의 소원이 없습니다.
그래서 앞으로는 오직 하나님만을 위해서 살 것입니다.
주중대사로 있는 동안에 저는 나라의 대사이기도 하지만 하나님의 대사로서 일을 할 것입니다.

하나님의 마음으로 기도합니다

나는 2004년 12월에 중국의 종교 문제 담당부서인 '국가종교사무국'의 예(葉) 국장(부서의 책임자는 국장이라고 부르지만 직급은 장관급)을 대사 관저로 초청했다. 국장을 수행하여 기독교, 천주교, 불교, 유교 담당 간부들도 함께 왔다.

나는 식사를 하면서 일부러 종교에 관한 이야기는 일체 하지 않았다. 그들은 내가 할 말에 대해 미리 많은 준비를 해왔을 것이고, 내가 먼저 이야기를 꺼낼 때를 긴장하며 기다리고 있었을지도 몰랐다. 나는 이런저런 이야기를 하면서 자연스럽게 기회를 기다렸다.

예 국장이 대화를 하는 중에 내게 물었다.

"대사께서 매일 하시는 일과 중에 어떤 일이 가장 중요합니까?"

"저에게는 기도가 가장 중요합니다."

"기도요? 기도가 뭔가요?"

"네, 무릎을 꿇고 엎드려서 하나님에게 말씀을 드리고 대화하는 겁니다."

"그럼 무엇을 기도하십니까?"

"주로 일을 하면서 부딪치는 어려운 점을 말씀드리고 도와주시기를 간구합니다. 예 국장께서는 기도를 해보신 적이 있나요?"

"없습니다."

"그럼, 중국의 지도자들, 예를 들어 후진타오 국가주석이라든지 우방궈(吳邦國) 전인대위원장이나 원자바오 총리 같은 분을 위해 기도하신 적이 없겠네요?"

"없습니다."

"저는 매일 중국의 주요 지도자들과 친구들을 위해서 기도하고 있습니다."

그러자 그가 의아하다는 듯 물었다.

"한국대사가 왜 우리 지도자들을 위해 기도하십니까?"

"하나님께서는 사람을 사랑하십니다. 지금 중국의 지도자들이 이 나라를 이끌어갈 때에 수많은 어려움이 있을 것이고, 그래서 힘이 많이 드실 겁니다. 저는 그들을 사랑하시는 하나님의 마음으로 그 분들이 맡고 계신 일들을 잘 감당하시도록 기도하는 겁니다. 중국은 한국과 가까운 나라이기 때문에 중국의 안정과 번영은 우리에게도 중요합니다. 그래서 저는 중국의 지도자들이 중국을 안정되고 번영한 나라로 만들어가도록 기도하고 있습니다."

내가 계속 말했다.

"우리 한국인들은 중국의 안정과 번영을 바랄뿐이지 중국의 혼란을 원하지 않습니다. 그래서 한국인들이 중국에 와서 종교 활동을 한다고 하더라도 중국에 해가 되지 않을까 의심하실 필요가 없습니다. 저는 오늘 장관님을 뵌 기회에 세 가지 부탁을 드리려고 합니다.

첫째, 중국에 거주하는 한국인 중에 크리스천이 많고, 매주 예배를 드리고 있는데, 가장 큰 문제는 대부분의 교회들이 중국 정부의 정식 허가를 받지 못해 불안한 가운데 예배를 드리고 있는 것입니다. 그러니 한국인들이 예배를 드리는 교회에 대하여는 중국 정부에서 정식으로 집회 허가를 해주시기 바랍니다.

둘째, 현재 한인교회들이 호텔 등을 임차해서 예배를 드리고 있는데 사용료가 너무 비싸서 금전적인 어려움을 겪고 있습니다. 가능하면 싼값에 교회를 임차할 수 있는 장소를 빌려주든지, 아니면 옌벤(延邊)이나 칭다오 지역의 경우와 같이 교회에 토지를 제공하여 건물을 지어 집회를 할 수 있게 해주십시오.

셋째, 중국 당국으로부터 허가를 받은 교회의 목사님들에게는 정식으로 비자를 발급해주시기를 부탁드립니다."

잠잠히 듣고 있던 예 국장이 대답했다.

"현재 한중 양국의 교류가 확대됨에 따라 중국에 주재하는 한국인도 계속 증가하고 있어, 이에 대해 중국으로서는 편의를 제공할 책임이 있다고 생각합니다. 오늘 대사께서 제시한 사항에 대해서는 돌아가서 확인해보도록 하겠습니다. 중국은 외국인들의 종교 활동을 보호하고 있지만, 다만 규정상 조정을 하게 될 경우가 가끔 있습니다. 우리도 종교 문제로 인해 양국관계에 영향을 미치는 것을 원하지 않습니다. 그러니 한국인들에게도 이러한 중국의 입장을 전달하여 중국인들에게 선교를 하지 말아달라고 해주시기 바랍니다. 다만, 한국인이 집회를 할 경우 중국 정부는 마땅히 허가를 해주어야 할 것입니다."

우리는 만찬 내내 이 문제에 대한 의견을 교환했다. 그리고 나는 중국이 사스와 전쟁을 치를 때 한국 정부와 대사관 그리고 한국인들이 어떻게 행동을 했는지, 그리고 하나님께서 어떻게 역사하셨는지를 그에게 설명했다.

이날 예 국장과의 만남은 중국 정부에 대하여 한국이 얼마나 중국을 중요하게 생각하는지와 한국인들이 얼마나 중국인을 사랑하는지, 그리고 내가 중국의 지도자들은 물론이고 수많은 친구들을 위하여 기도하고 있음을 확실히 각인시켜주는 기회가 되었다. 그리고 이 일은 한인 교회들과 사역자들이 중국에서 활동하는 데 큰 도움을 주는 계기가 되었다.

나라의 대사이자 하나님의 대사로

중국에서 한인교회를 섬기는 목사님들이 보낸 이메일을 읽으면 눈물이 난다. 중국이라는 낯선 땅에 가서 사역을 하는데 도와주는 사람이 없었으니 말이다. 그런 상황에서 내가 하나님의 사역에 조금이라도 동참할 수 있게 된 것은 큰 축복이었다.

나는 주중대사로 부임한 후, 첫 주일에 베이징21세기교회에 예배를 드리러 갔다. 박태윤 목사님께서 나를 반갑게 맞아주시면서 교인들에게 인사할 기회를 주셨다.

"대사님이 새로 부임해오셨으니, 교인들에게 인사 말씀 해주십시오."

나는 앞에 나가 교인들에게 말했다.

"제가 1995년 중국을 떠날 때 여러분께 앞으로 10년 안에 주중대사로 와서 인사를 드린다고 했습니다. 하나님께서는 참으로 신실하셔서 저를 10년도 되기 전에 이 땅에 다시 보내주셨습니다. 이제 제 일생에 가지고 있던 세 가지 소원을 다 이루었습니다. 저는 더 이상의 소원이 없습니다. 그래서 앞으로는 오직 하나님만을 위해서 살 것입니다. 주중대사로 있는 동안에 저는 나라의 대사이기도 하지만 하나님의 대사로서 일을 할 것입니다."

이후 6년 반 동안 나는 중국에서 사역하는 분들과 끊임없는 교류를 가졌다. 나는 한 나라의 대사이기도 했지만 하나님의 대사로서, 중국에서 사역하는 분들을 도와주기 위해 최선을 다했다. 왜냐하면 그것이 하나님께서 나를 중국에 대사로 보내신 중요한 목적의 하나임을 잘 알고 있었기 때문이었다. 나는 그 과정에서 특히 유주열 총영사를 비롯한 영사부 직원들의 헌신적인 도움을 받았으며, 지금도 그들의 노고에 대해 감사하는 마음을 갖고 있다.

나의 영적인 못자리판

베이징21세기교회는 한중수교 직후인 1993년에 세워진 중국에서 가장 오래된 한인교회 중의 하나다. 박태윤 담임목사님은 초창기부터 현재까지 이 교회를 이끌어오고 있다.

내가 1992년 2월 초 베이징에 부임했을 당시에는 한인교회가 따로 없었고, 대사관 직원 부인들과 교민 몇 명이 아파트에서 주일학교를 열고 있었다. 한중수교 이후 양국관계가 급속도로 발전되면서 교민들이 늘어나자 화요 예배 모임이 생겨났고, 그것이 모태가 되어 1993년에 21세기교회가 설립되었다. 아내와 아이들은 교회 창립 때부터 이 교회에 나갔고, 나는 1994년 초가을부터 다니기 시작했다.

박 목사님은 우리 가정과 아주 특별한 인연을 가지고 있다. 앞서 언급한 것처럼 나는 1995년 1월에 중국을 떠나기 직전 박 목사님의 강권으로 세례를 받는 도중 성령세례를 받았다. 내가 하나님의 사람으로 다시 태어나는 못자리판이 된 곳이 바로 이 교회이다. 그리고 베이징을 떠나기 전 마지막 예배 때, 박 목사님이 교인들 앞에서 인사를 시킴으로써 내가 10년 안에 주중대사가 되어서 돌아오겠다는 말을 하게되었고, 또 그 말을 듣고 박 목사님을 비롯한 많은 교인들이 중보기도를 해준 덕분에 나는 주중대사로 부임하게 되었다.

중국에서는 50명 이상 모이는 집회는 반드시 당국의 집회 허가를 받아야 한다. 이 교회는 중국에서 가장 큰 한인교회 중 하나였기 때문에 항상 중국 당국의 주목을 받았다. 그런 이유로 교회의 활동에 제약이 따르기 마련이었다. 나는 주중대사이자 하나님나라의 대사로서 항상 교회와 박 목사님을 측면에서 돕기 위해 최선을 다했다.

공안을 위해 박수를 치다

베이징21세기교회는 매년 중국에 있는 한국인 유학생들을 위한 수련회인 '코스타 차이나'(KOSTA China) 개최에 주축이 되는 곳이었다. 이 집회는 수백 명, 때로는 천 명 이상의 젊은 학생들이 모이기 때문에 항상 중국 공안들의 주시 대상이었다. 나는 코스타 차이나에 2003년부터 5년 동안 참석해서 항상 첫날 첫 번째 특강을 맡았다.

2003년 9월에 열린 베이징 코스타 때의 일이다. 특강을 하러 갔더니 박 목사님과 코스타를 준비하는 사역자들이 나를 초조하게 기다리고 있었다. 나를 보자마자 목사님께서 다급한 목소리로 말씀하셨다.

"어젯밤 지방 공안과 종교 부문에서 와서 종교 관련 집회는 안 되며, 만약 강행하면 강제로 취소하겠다고 했습니다. 그래서 집회 중 하나님이나 예수님에 관한 얘기를 하지 않고 찬송가도 부르지 않는 조건으로 집회를 하겠다고 약속했으니, 대사님도 특강하실 때 참고해주십시오."

나는 알았다고 대답을 하고 잠시 기도한 후, 올라가서는 담대히 말씀을 전했다.

"여러분, 나는 하나님을 믿는 사람입니다. 나는 중국을 사랑해서 38년 전인 1965년부터 대학에서 중국문학을 공부했습니다. 그리고 오래전부터 중국과 중국인을 위해 하나님께 기도하고 있습니다. 물론 중국의 지도자들을 위해서도 기도하고 있습니다. 후진타오 국가주석, 우방궈 전인대(전국인민대표대회) 위원장, 원자바오 총리를 위해 기도하고, 많은 중국의 지도자와 친구들을 위해서 기도하고 있습니다. 그들 또한 내가 기도하는 것을 감사하게 생각하고 있습니다. 그런데 가끔 지방이나 시골에 가면 한국대사가 중국을 사랑하고 중국을 위해 기도하는 줄을 몰라 오해하는 경우가 있습니다."

지방 공안 요원들도 내가 무슨 이야기를 하는지 들으려고 맨 앞줄에 통역들과 함께 앉아 있었다.

"지금 앞에 계시는 지방 공안에서 나온 분들은 저를 오해할 분들이 아닙니다. 저분들은 틀림없이 제가 중국을 사랑하고 중국을 위해 하나님께 기도하는 것에 대해서 감사하게 생각할 것입니다. 여러분, 저분들을 위해 격려의 박수를 보냅시다!"

내 말이 끝나자마자 600여 명의 학생들이 "와!" 하는 함성과 함께 우레와 같은 박수를 쳤다. 그리고 나는 한 시간 내내 하나님과 예수님 이야기를 계속했다. 그러면서 강의 중간에 공안 요원들을 위해 박수를 치는 것도 잊지 않았다.

강의를 마치고 돌아가는데 박 목사님에게서 전화가 왔다.

"할렐루야! 대사님이 말씀을 전하는 것을 듣고 공안 요원들이 다 떠났습니다."

집회는 공안 요원들이 다 떠난 다음에 성공적으로 치러졌다.

2007년 코스타 때도 한바탕 소란이 있었다. 교회에서 당초 그 지방 공안에 신고할 때에는 참석자가 수 백 명이라 했는데, 막상 수련회가 시작될 즈음에 보니 1200명이 넘었다. 그 규모에 놀란 지방 공안이 학생들의 숫자를 줄이라고 요구했다. 그런데 모인 학생들은 중국 각지에서 기차나 버스를 타고 왔기 때문에 돌려보낼 수도 없었다.

나는 사무실에 대기 중인 총영사와 경찰주재관을 급히 불러 지방 공안들을 설득하라고 지시했다. 중국어를 잘하고 중국 사정에 밝은 총영사와 경찰주재관이 학생들의 어려운 사정을 잘 설명하고, 집회 기간 중 발생하는 모든 문제는 대사관에서 책임을 진다는 조건으로 공안은 돌아갔다.

이 일뿐 아니라 하나님께서는 언제 어디서나 자신을 사랑하는 사람들이 하나님의 영광을 나타내기 위한 모임을 가질 때는 우리가 생각할 수 없는 방법으로 지켜주셨다.

쉼을 누릴 수 있었던 교회

베이징21세기교회 맞은편에는 60여 개국 크리스천들이 연합으로 모이는 BICF(Beijing International Christian Fellowship)라는 국제교회가 있다.

한번은 이 교회에서 북한을 위한 포럼을 개최한 일이 있었다. 이 포럼에는 북한과 북한 주민을 위해 기도하는 세계 30여 개국의 선교사와 중보기도자들이 참석하고 있었다. 베이징21세기교회와 BICF가 매우 긴밀한 관계에 있었기 때문에 BICF에서 박 목사님에게 북한에 대한 연설을 해줄 전문가를 추천해달라고 하여, 박 목사님이 나를 찾아와 포럼의 중요성을 강조하면서 연설을 해줄 것을 요청하셨다.

나는 포럼이 개최되고 있는 회의장에 가서 연설을 했다. 내용은 우리 한국인들이 북한을 얼마나 사랑하며, 북한을 위해 어떻게 기도하고 있는지, 한국대사관이 탈북자들을 어떻게 받아들이고 있는지, 또 성령께서 어떻게 역사하고 계신지에 관한 것이었다. 연설이 끝나자 별안간 참석자 전원이 일어서더니 박수를 치기 시작했다. 그리고 나에게 와서 연설에 깊은 감동을 받았다고 하면서 고마움을 표했다. 박 목사님은 그날의 연설을 계기로 베이징21세기교회와 BICF의 관계가 더욱 긴밀해졌다고 하면서 두고두고 나에게 고마워하셨다.

베이징21세기교회는 나의 두 번에 걸친 9년 6개월의 중국 근무에 있어 내가 영적인 쉼을 누렸던 곳이었다. 나는 이 교회와 겸손하고 신실하신 박태윤 목사님을 깊이 사랑하여 중국을 떠난 후에도 매일 목사님과 교회를 위해 기도하고 있다. 중국 내 대표적인 한인교회로서 겪어야 하는 많은 어려움과 고난을 사랑과 담대함으로 이겨내어 한국 교회사의 한 페이지를 기록하기를 말이다.

사랑과 위로의 하나님

한국과 가장 긴밀한 관계를 가지고 있는 산둥성(山東省)은 인구 9300만 명의 큰 성이다. 산둥성에는 한국 기업들이 만 개가 넘으며, 이중 칭다오(靑島)에만 4000여 개의 기업이 있다. 우리 교민도 7만 명에 달한다. 그래서 우리 정부는 총영사관을 성의 수도인 지난(濟南)이 아닌 칭다오에 두었다. 이곳에서 가장 크고 오래된 교회가 칭다오한인교회이다.

나는 업무상 산둥성과 칭다오에 갈 일이 많았다. 2004년 6월에도 나는 지난과 칭다오를 방문했다. 공식적인 활동을 마친 다음 날인 6월 19일에 칭다오한인교회의 조관식 목사님을 처음 만나게 되었다. 조목사님은 이미 중국 내 한인교회에서 말씀이 좋은 목사님 중 한 분으로 이름이 나 있었다. 그래서 나는 조 목사님을 만나 이야기를 나눌 수있게 된 것이 아주 즐거웠다. 이야기 도중 목사님은 내게 다음 날 주일예배 때 특강을 해줄 것을 요청하셨다. 나는 전혀 준비가 되어 있지 않아 거절했으나, 계속된 목사님의 간청에 못 이겨 결국 특강을 하게 되었다.

이후 나는 조관식 목사님을 위한 중보기도를 시작했다.

하루는 조 목사님을 위한 기도를 하는데 너무 힘이 들었다. 밤에 목사님에게 전화를 해서, 무슨 일이 있는지 물었다. 목사님은 며칠 동안 후두염에 걸려 목이 아파 상당히 고생하셨다고 했다.

다음 날 목사님이 내게 이메일을 보내셨다.

뜻밖에 대사님의 격려 전화와 이메일을 받고 큰 감동을 받았으며, 주님을 향한 찬양과 터져나오는 감사를 주체할 수 없었습니다. 사실 저는 지난 2~3주 동안 영육이 몹시 힘들었습니다. 그런데 대사님의 중보기도와 전화를 통해 주님의 사랑을 다시 한 번 확인할 수 있었고, 저의 사역에 확신을 갖게 되면서 큰 힘을 얻

었습니다. 저와 같은 사람을 기억하시고 중보하시며 관심을 가
져주시니 감사합니다.

하나님께서는 조 목사님을 무척 사랑하셨다. 목사님이 힘이 들거나
어려우면 꼭 내 몸을 통해 알려주셨다. 나는 그때마다 전화를 해서 목
사님을 위로하곤 했다.

너무 힘이 듭니다

2007년 7월 12일부터 14일간 나는 200명에 달하는 대규모 대표단을
이끌고 산둥성 성도인 지난을 방문했다. 우리 대사관이 매년 개최하
는 '한중우호주간' 행사를 위해서였다. 행사는 항상 성의 수도에서만
열리기 때문에 다른 도시는 가지 않는 것이 일반적이었다. 그러나 칭
다오 총영사가 짧은 시간이라도 칭다오에 오기를 강력히 건의하여 무
리해서 일정에 추가시켰다.

14일에 칭다오로 이동하여 시(市)정부 측과 모든 행사를 마쳤다. 다
음 날 아침 칭다오에 있는 청양한인교회에 가서 특강을 한 후 베이징
으로 돌아갈 일정만이 남아 있었다. 그런데 밤에 강형식 비서관이 와
서 조관식 목사님에게서 연락이 왔는데, 내일 아침에 칭다오한인교회
에 와서 특강을 해달라는 말을 전했다.

나는 이미 다른 교회에 가기로 약속이 되어 있고, 전에 칭다오한인
교회에 갔으니 이번에는 양해해줄 것을 전달하도록 했다. 조금 후 비

서관이 다시 와서 목사님께 말씀을 드렸는데도, 내일 아침 9시에 시작하는 1부 예배에서 말씀을 해달라고 너무 간절하게 요청한다는 것이었다. 나는 기도하고 연락을 주겠다고 다시 지시했다.

그런 다음, 무릎을 꿇고 조 목사님과 칭다오한인교회를 위해 기도했다. 하나님께서는 칭다오한인교회에 가라고 말씀하시면서 조 목사님에 대한 말씀을 주셨다. 나는 밤늦게 기도문을 정리한 다음 잠자리에 들었다.

아침 일찍 비서관을 통해서 간다는 통보를 하고는 칭다오한인교회에 가서 말씀을 전했다. 예배를 마치고 나와 교회 장로들과 기념사진을 찍은 다음, 조 목사님에게 양복 안주머니에 넣어둔 기도문을 꺼내 건네며 말했다.

"목사님, 이것 때문에 그렇게 저를 오라고 하셨지요?"

그리고 나는 청양한인교회 예배를 위해 이동했고, 이후에 무슨 일이 있었는지는 알 수 없었다. 2009년에 내가 은퇴한 후, 목사님이 보낸 이메일을 통해서야 그간의 자세한 사정을 알 수 있었다.

칭다오에서 온 편지

칭다오한인교회는 17년 전에 믿음의 세 가정을 통해 설립된 이후 지금까지 장년 1000여 명과 주일학생과 청년 800명이 모이는 중형교회로 조용한 성장을 해오고 있었다. 그러던 2007년 교회에 혹독한 시련이 찾아왔다. 그해 4월에 한국의 한 대형교회에서 주관하는 영성세미나가 한국 목사님 100여 분이 참석한 가운데 칭다오에서 열렸다. 그러나 집회 이틀째에 중국 기관원들이 들이닥쳐 허가받지 않은 불법 집회라며 집회를 중지시켜 결국은 한국 목사님들께서 귀국하셔야만 하는 안타까운 일이 발생했다. 이후 나는 불법 집회를 도왔다는 이유로 관계기관에 불려가 조사를 받고 경고와 주의를 받고 돌아왔다. 그 후로는 목회를 정상적으로 할 수 없는 일들이 빈번하게 발생했다. 시간이 지나면서 그 일로 교회는 내분이 가열되고, 나는 지쳐서 더 이상 목회를 할 수 없다는 생각이 들만큼 탈진 상태에 있었다. 그래서 교회를 보호하기 위해서라도 내가 떠나는 것이 최선인 것 같아 하나님의 인도를 받기 위해 특별기도에 들어갔다.

'아버지, 제가 너무 힘이 듭니다. 이 상황에서는 더 이상 사역을 할 수가 없습니다. 제가 이 교회를 떠나는 것이 지금의 상황에서 최선이라면 저에게 7월 말까지 사인을 보여주세요. 특별한 사인이 없으면 떠나도 좋다는 것으로 알겠습니다.'

새벽마다 눈물로 엎드려 기도하면서 하나님의 인도를 기다리고 있었다. 그때는 정말 아무 사인이 없으면 중국에 더 이상 미련을 두지 않고 떠날 심산이었다. 그런데 2007년 7월 14일 토요일 밤 10시쯤 김하중 대사님이 다음 날 청양한인교회에서 특강을 하신다는 소식을 들었다. 대사님이 갑자기 계획에 없는 칭다오에 오신다는 말씀을 듣고는 하나님께서 혹시 내게 무슨 뜻을 보이시려는 것이 아닌가 하는 생각이 들었다.

나는 비서관에게 대사님이 와주시기를 부탁했고, 주일이던 다음 날 새벽에 대사님이 오신다는 연락을 받았다. 이때 나는 몹시 지치고 외로워서 대사님의 방문이 정말 기뻤다.

드디어 대사님이 1부 예배에 오셔서 중국 주재 한국대사로 계시면서 외교 사역 가운데 함께하시는 하나님을 높이시고, 중보기도의 체험을 말씀하셨다. 그리고 "중국에서 목회는 참으로 어려우니 지도자를 중심으로 교회가 하나가 되어야 한다"라는 메시지를 주실 때 온 성도는 물론이고, 특히 내가 큰 힘을 얻고 위로와 격려를 받았다. 예배가 끝난 후 대사님이 주신 봉투를 열어보니 다음과 같은 글이 적혀 있었다.

사랑하는 종아, 네가 지금 너무 힘들구나.
네가 몸도 지치고 마음도 지쳐, 더 이상 사역을 하기가
곤란하니 네가 그곳을 떠나고 싶은 마음이 많도다.
그러나 너는 그러한 생각을 걷어낼지어다.
네가 지금 어렵다고 하나, 내가 당한 고통에 비하면
아무것도 아니니 너는 더 이상 약한 마음을 가지지 말지어다.
이제 너에게 많은 일이 있을 것이라.
그러나 네가 나에게 기도하는 한 아무 일도 없을 것이니,
너는 안심할지어다.
네가 지금 너를 미워하고 싫어하는 자들로 인하여
마음이 피로우나 그 또한 기도하면 될 것이니,
너는 그들을 사랑하고 축복할지어다.

그리하면 그들이 부끄러워하게 될 것이라.

이제 너에게 좋은 일도 있을 것이니,

그동안 네가 원했던 일들이 이루어질 것이요,

네가 하고 싶었던 일들도 다 하게 될 것이라.

그러나 너는 조심하라.

지금 너를 미워하고 공격하는 자들이 많으니 항상 조심할지어다.

네가 때로는 마음이 교만하여,

그들에게 마음의 상처를 줄 때가 많으니 너는 겸손하라.

그리하면 그들이 너를 공격하지 못할 것이라.

너는 겸손하라. 그리하면 내가 너를 지킬 것이요 보호할 것이라.

나는 이 기도문을 읽으면서 얼마나 울었는지 모른다. 사인을 구하고 있는 내게 하나님께서 대사님을 통해서 응답하셨기 때문이다.

"네가 그곳을 떠나고 싶은 마음이 많도다. 그러나 너는 그러한 생각을 걷어낼지어다."

얼마나 듣고 싶었던 주님의 음성이었는지, 이보다 더 명확하고 간결한 응답이 있겠는가? 그동안 내 어깨에 메고 있었던 불안과 중압의 멍에가 한순간에 벗겨지는 은총의 메시지요, 소명에 다시 불을 붙이시는 확신의 메시지였다. 마치 대사님이 내 형편을 옆에서 보고, 내 기도를 들은 것 같았다.

나는 곧 2부 예배에 들어가서 그동안 마음속에 숨겨둔 고뇌와 아픈 내용을 솔직하게 성도들에게 고백했다. 그리고 대사님이 주신 편지를 공개했다. 모든 교우들은 편지의 내용을 들으면서 주님의 메시지에 용기와 희망을 가지게 되었고, 교회는 눈물바다가 되었다.

이후 나는 마음의 평정을 되찾았고, 주님의 은혜 아래 열심히 사역하고 있다. 사역에 어려움이 없는 것은 아니지만 대사님을 통해서 주신 "겸손하라"는 말씀과 "이제 너에게 많은 일이 있을 것이라"는 말씀을 마음에 새기고 떠올리면서 성심으로 목회에 정진하고 있다. 칭다오한인교회는 주님의 은혜로 2년에 하나씩 교회를 분립 개척하여 현재 네 개의 교회를 칭다오에 세우는 일에 쓰임을 받고 있다.

대사님의 계획에 없었던 칭다오 방문은 칭다오한인교회를 위기 속에서 지키시고, 나를 중국 사역에 재헌신하게 하는 주님의 인도와 역사였다. 내 생애에 특별했던 이 사건을 평생 못 잊을 것이다. 그래서 나는 이 기도문을 장차 외교관이 되어 주님을 섬기겠다는 꿈을 갖고 자신의 미래를 준비하고 있는 딸 한나에게 유산으로 줄 것이며, 주님께서 나의 길을 인도하신 상징으로 우리 가문의 보물로 여길 것이다.

나는 이 이메일을 받고 하나님께서 살아계시고 역사하시는 일에 내가 어떤 식으로라도 관여가 되어 있다는 사실에 무릎 꿇고 하나님께 감사와 찬양을 올렸다.

이후 칭다오한인교회는 중국 내 한인교회 가운데 가장 부흥하는 교회로 우뚝 섰다. 그것은 조 목사님을 사랑하시는 하나님께서 부어주시는 축복임에 틀림없다. 나는 지금도 매일 칭다오한인교회의 더 큰 부흥과 조 목사님이 중국에서 하나님의 원대한 뜻을 이루는 신실하고 사랑받는 종이 되기를 기도하고 있다.

제 상황 그대로입니다

상하이연합교회를 담임하는 엄기영 목사님은 한국은 물론이고 중국 내 한인 목회자 중에서도 설교가 뛰어나고 영성이 탁월하신 분이다. 엄 목사님은 2002년 4월에 불모지와 같은 상하이(上海)에서 지금과 같은 교회를 성장시키셨는데, 이는 엄 목사님같이 하나님으로부터 사랑을 받는 종이 할 수 있는 일이었다.

나는 엄 목사님과 2004년부터 인연을 맺기 시작했다. 목사님을 만난 이후 하나님께서는 계속 나에게 목사님을 위한 중보기도를 시키셨다. 그때 상하이연합교회는 여러 가지로 어려운 상황이어서 나는 목사님과 수시로 연락하면서 긴밀한 관계를 유지했다. 그 과정에서 많은 어려움이 있었지만, 우리는 오직 하나님만을 의지하고 기도하면서 그 어려움을 이겨냈다. 하나님께서는 목사님에게 힘든 일이 있거나 괴로운 일이 있으면 기도 중에 나에게 알려주셨다. 그러면 내가 목사님에게 전화를 해서 위로하거나 도움을 주려고 노력했다. 목사님은 힘든 일을 당할 때 나의 전화를 받고 하나님께서 자신을 얼마나 사랑하시는지를 분명히 확인하고 큰 위로를 받으셨다.

2007년 5월에 나는 '상하이 지역 기업법률지원 상담회' 개막식 참석 차 상하이를 방문했다. 그곳에서 나는 그 지역에서 활동하는 사역자들과 만나는 기회를 가졌다. 그런데 이 자리에 참석한 엄 목사님이 나에게 주일예배 때 특강을 해달라고 요청했다. 나는 이번에는 준비를 하지 않았으니 예배에만 참석하겠다고 했으나, 목사님은 막무가내였다.

호텔로 돌아와 나는 기도했다. 하나님께서 가라고 하셔서 목사님에게 특강을 하겠다고 연락을 하고, 다음 날 아침 상하이연합교회 교인들에게 하나님이 하신 일을 나눴다.

예배를 마치고 나는 목사님을 따로 만나 전날 밤 목사님을 위해 기도하는 중에 하나님께서 주시는 말씀을 정리한 기도문을 주었다. 기도문을 읽던 엄 목사님은 눈시울이 붉어지면서 말했다.

"대사님, 이 내용이 제가 지금 처한 상황 그대로입니다."

나는 목사님의 손을 잡고 위로했다.

"아무 걱정하지 마십시오. 제가 계속 기도하겠습니다."

그 후 상하이연합교회는 날이 갈수록 부흥하여 중국에서 활동하는 모든 한국 사역자들의 부러움의 대상이 되었다.

2009년 5월 초 엄 목사님이 나에 대한 글을 이메일로 보내왔다.

상하이에서 온 편지

2004년 어느 날, 김하중 대사님이 상하이에 공무 차 오셨다가 주일이 겹치자 주일예배를 우리 교회에서 드리게 되었다. 이후 간헐적인 관계를 갖다가, 2007년 5월 27일 주일예배에 참석하신다는 연락을 받고 성령님께서 대사님에게 간증을 부탁하는 것이 좋겠다는 마음을 주셨다. 그래서 극구 사양하는 대사님에게 간청하여 예배 시간에 간증을 듣게 되었다. 그날 간증은 온 성도들에게 깊은 은혜와 도전이 되었다.

우리가 살고 있는 중국 땅에서 한국을 대표하는 대사가 이토록 독실한 신앙인이라는 사실이 정말 자랑스러웠다. 그리고 지난 시간들 속에서 하나님께서 어떻게 역사하셨는지를 간증할 때 온 교인들은 숨죽이며 경청했다. 우리는 중국에 관련된 내용을 신문이나 TV 뉴스를 통해서 표면적인 결과만을 접했는데, 그 배후에 누군가의 기도가 있었고 하나님의 일하심이 있었다는 사실이 참으로 놀라웠고 소름끼치도록 감격스러웠다.

대사님은 상하이연합교회와 목회자인 나를 위해 기도하다가 하나님께서 주시는 말씀을 편지 형식으로 적어서 두 차례에 걸쳐 건네주셨다. 지치고 피곤했던 나에게 전해주신 말씀들이 얼마나 큰 위로와 힘이 되었는지 모른다. 대사님이 기도하지 않으셨다면 도저히 알 수 없는 나의 깊은 갈등과 아픔에 대한 주님의 마음이 편지 안에 있었다.

그때 주셨던 주님의 말씀처럼 현재는 모든 갈등과 문제들이 아름답게 해결되었다. 하나님께서는 기도하는 대사님을 통해서 당신의 마음을 전달하며 당신의 크신 일들을 행하셨던 것이다.

또 대사님은 자신이 크리스천임을 두려워하거나 부끄러워하지 않으시고 언제, 어디서든지 주의 이름을 드러내는 것을 주저하지 않으셨다. 중국 고위 인사들과의 만남의 자리에서나 언론 매체들과의 인터뷰에서나 그의 대화 가운데에는 주님의 이름이 드러났다.

중국 대도시에서 한인들이 모여 함께 자유롭게 예배드릴 수 있는 여건을 조성한 데에는 대사님의 역할이 지대했다. 상하이에서도 한인교회를 형성하고 독립적으로 예배를 드릴 수 있도록 대사님이 중국 정부 지도자들과의 끈질긴 설득과 타당성을 이야기함으로써 오늘의 자리까지 오게 된 것이다.

대사님은 요셉과 모세처럼, 때로는 느헤미야와 다니엘처럼 조국과 하나님의 나라를 위해 믿음의 절개를 지키며 살아오신 분이다. 다니엘이 왕궁에서 제공하는 포도주와 고기로 말미암아 자기를 더럽히지 아니하기로 믿음의 결단을 내렸던 것처럼, 대사님은 자신의 출세를 위해 인간적인 수단과 방법을 동원하지 않으셨다. 대사님은 오직 믿음으로 주님의 얼굴만을 바라보며 주님의 뜻을 이루어드리려고 몸부림치는 믿음의 사람이셨다.

　　나는 엄기영 목사님과 상하이연합교회를 위하여 지금도 매일 기도하고 있다. 그리고 언젠가 다시 상하이에 가서 목사님과 만나 함께 손잡고 기도할 때를 기다리고 있다. 하나님께서는 목사님을 사랑하시는 만큼 교회를 축복하실 것이며, 크게 부흥시키실 것을 믿는다.

아파트 교회

2005년 충칭(重慶)에서 한중우호주간이 열릴 때였다. 나는 무역사절단과 문화사절단이 포함된 170여 명의 대표단을 이끌고 충칭을 방문하여, 시장 및 시 당서기 등과 행사를 진행했다. 행사가 진행되는 동안에 내가 한국 교민들에게 충칭에 한인교회가 있는지를 물었더니 교회가 없다는 것이었다.

'한국인들이 사는 곳에 교회가 없는 곳도 있나?'

이렇게 혼자 생각하고 있는데 한국인회 회장이 나에게 조용히 와서 말했다.

"사실은 한인교회가 있습니다. 그런데 공안의 단속이 너무 심해서 비밀리에 일반 가정집에서 예배를 드리고 있습니다."

그곳이 어디 있는지 물으니 중국인들이 사는 아파트 내에 있다고 했다. 나는 은근히 화가 났다. 수십만 명의 한국 교민들이 중국에 거주하는데, 공안의 단속으로 아파트에서 비밀리에 예배를 드리고 있다는 것은 처음 듣는 일이었다.

다음 날 충칭 시장(장관급)이 주최하는 한국 대표단을 위한 환영 만찬이 열렸다. 충칭 시장은 나와 아주 가까운 사람이었다. 만찬이 무르익자 시장이 나에게 말했다.

"이번에 김 대사께서 한국과 충칭과의 관계 발전을 위해 170여 명이나 되는 대규모 대표단을 인솔하고 방문을 하셨는데, 이렇게 대규모의 외국 대표단이 온 것은 충칭시 역사상 처음입니다. 정말 감사하게 생각합니다. 무엇이라도 김 대사를 도와드리고 싶은데, 혹시 제가 도와드릴 일이 없습니까?"

나는 좋은 기회라고 생각하고 이렇게 말했다.

"지금 중국 전역에 수십만 명의 한국인이 거주하고 있습니다. 그리고 한국인들이 거주하는 지역에는 반드시 한인교회가 있습니다. 예를 들어 베이징에도 10여 개의 한인교회들이 있습니다. 그런데 내가 이곳에 와서 들으니, 공안의 단속 때문에 한인교회들이 공개적으로 활동을 못하고 몰래 일반 가정집에서 예배를 드리고 있다고 합니다. 시장께서 한인교회가 합법적으로 예배를 드릴 수 있도록 도와주시기 바랍니다."

시장은 같은 테이블에 있던 시정부의 종교를 관장하는 고위 관리를 불렀다. 그리고 충칭에 한인교회가 있느냐고 물으니 관리는 없다고 대답했다. 내가 있다고 했더니 그 관리가 자기가 상황을 잘 아는데 절대로 없다고 하는 것이었다. 나는 한국인회 회장에게 한인교회가 어디 있는지 설명해주라고 했다. 한국인회 회장이 교회 위치를 설명하자 그 관리는 거기는 일반 중국인 아파트이므로 교회가 있을 수 없는 곳이라고 했다.

나는 한국인들이 지금까지는 공안의 눈을 피하여 그곳에서 비밀리에 예배를 드렸으니, 이후로는 합법적으로 예배를 드릴 수 있도록 도와달라고 요청했다. 시장은 시정부 관리에게 상황을 정확히 알아본 후에 가능한 대로 도와주라고 지시를 했다. 나는 재차 시장과 시정부 관리에게 꼭 한인교회에 비준을 내어주도록 요청했다. 내가 하도 강력히 요청하자, 시장은 내게 걱정하지 말라면서, 그 관리에게 다시 한

번 분명한 지시를 했다.

이튿날 나는 아침 일찍 한인교회가 있는 아파트로 가서, 아파트 내 한글학교를 방문했다. 학교 시설은 아주 빈약하고 보잘것없었지만, 몇 명의 교사들이 학생들에게 한글을 가르치고 있었다. 나는 그들의 겸손하고 헌신적인 봉사에 깊은 감동을 받았다.

이후 교회로 모인다는 아파트로 올라갔다. 아파트 문을 열고 들어서자 깜짝 놀라지 않을 수 없었다. 그곳에는 강대상과 좌석 60~70석 규모의 훌륭한 예배당이 마련되어 있었다. 마침 담임목사님은 한국에 출장 중이시고 사모님과 장로, 집사 등 10여 명이 있었다. 나는 그들에게 시정부 고위 인사들과의 협의 결과를 설명하고 이야기를 나눈 뒤 베이징으로 돌아왔다. 그리고 충칭한인교회를 위해 기도하기 시작했다. 한 달 후 내가 방문할 당시 부재중이시던 정선교 담임목사님이 이메일을 보내오셨다.

지난 한 달 여 동안 있었던 일들은 참으로 하나님이 아니고서는 하실 수 없는 일들이었습니다. 하나님께서 대사님을 통해 충칭의 작은 한인 모임에 큰 희망의 불씨를 안겨주신 것을 저희들은 참으로 감사하고 있습니다.

저는 올해 1월 4일에 새벽기도 때 교회의 비준 문제를 주님께 아뢰었습니다. 당장 신청하는 것이 옳은지 아니면 더 늦추는 것이 옳은지 판단이 서지 않아 '하나님께서 환경을 열어주시고 사람을 보내주셔서 누가 보더라도 하나님이 하신 것으로 판단될 때는 그것이 주님의 뜻으로 믿겠습니다'라고 매일 기도했습니다. 그런데 제가 한국에 있는 동안 대사님이 교회에 다녀가셨다는 말을 듣고, 주님께서 제 기도를 들어주셨고, 이 일은 하나님께서 하신 일이라는 확신이 들었습니다. 그리고 대사님을 하나님이 사자(使者)로 보내셨다는 사실을 깊이 감사하게 되었습니다.

이후 나는 얼굴도 보지 못한 정 목사님과 이메일을 통하여 긴밀히 연락을 취했다. 하루는 목사님이 이메일을 보내서 또 다시 놀라운 일이 생겼다고 하면서, 전혀 모르는 분이 교회 성전 구입비를 주셨다고 했다. 그리고 얼마 후 교회로 쓸 건물을 구입했다. 그런데 가장 중요한 것은 역시 시정부의 비준을 얻는 것이었다. 그 과정에서 참으로 많은 우여곡절이 있었다.

성전 구입의 기적

충칭한인교회는 2006년 1월 23일 신청한 지 두 달 만에 드디어 시정부의 비준을 받게 되었다. 정말로 기적 같은 일이었다. 그해 4월 목사님의 요청으로 나는 지방 출장길에 충칭을 방문해 처음으로 정선교 목사님을 만났다. 목사님은 키가 크고 중후한 풍모에 따뜻한 인상을 가진 분이었다. 나는 목사님과 차를 타고 다니면서 많은 이야기를 나누었다. 그러면서 목사님의 하나님에 대한 사랑과 그동안의 헌신, 그리고 앞으로의 비전을 듣고 깊은 감동을 받았다. 나는 충칭한인교회가 오늘과 같은 축복을 받게 된 것이 정 목사님의 눈물의 기도가 쌓여서 된 것임을 알 수 있었다.

2009년 4월에 목사님은 나와 함께했던 지난 이야기들을 적어서 보내셨다.

충칭에서 온 편지

2005년 5월 나는 한국에서 열린 연례모임에 참석하고 있었다. 그때 중국에서 한 통의 전화가 왔다.

"목사님, 우리 교회가 시정부로부터 비준을 받게 되었대요."

"예, 뭐라고요? 비준요? 아니 신청도 안 했는데 어떻게 비준을 받아요?"

나는 의아해서 되물었다.

"예. 김하중 대사님이 이곳을 방문하셨는데 충칭 시장에게 건의하여 비준을 해주기로 했대요. 오시면 자세히 알게 돼요."

도무지 이해할 수 없었다. 나는 그때까지 김하중 대사님을 만난 적도 없고, 전화 한 통 한 적이 없었다. 또한 비준 문제는 연초부터 기도하고 있었지만 섣불리 사람들에게 꺼낼 문제가 아니었기 때문에 누구하고도 깊게 나누지 않았었다. 비준 신청을 하면 허가를 받을 수 있다는 말을 듣기도 했지만 함부로 신청하다보면 공연히 예배 장소만 노출되고 핍박을 당할 수 있다는 생각이 들어 이러지도 못하고 저러지도 못하고 있었다.

나는 설레는 마음으로 중국으로 돌아와서 성도들을 통하여 자세한 내막을 들을 수 있었다. 얼마 후 충칭시 정부에서 먼저 연락이 와서 서류를 제출했고, 두 달 만에 비준이 나왔는데 이것은 중국에서는 아주 드문 일이었다. 나는 이 모든 일을 계획하셔서 부족한 종과 우리 교회에 은혜를 베풀어주신 하나님께 감사를 드렸다. 그리고 대사님의 하나님 사랑과 교회를 사랑하시는 마음에 대해서 깊이 감사를 드렸다.

비준과 더불어 우리 교회는 작지만 아름다운 교회당을 구입할 수 있었다. 그것도 전적인 하나님의 은혜였다. 나중에 알고 보니 이것도 대사님과 연관이 되도록 하나님이 섭리하셨음을 알게 되었다. 대사님의 작은 누님과 친구 분들이 베이징을 방문하신 적이 있었는데 그때 대사님을 통해서 잠자던 신앙이 깨어나고, 회복을 경험하셨다고 한다. 그중 한 분이 나를 중보해주시는 홍콩에 계신 한 권사님에게 대사님에 대해서 몇 시간 동안 이야기를 하셨다고 한다. 권사님은 대사님을 전혀 모르셨는데 간증을 들으면서 '아, 그런 분이 주중대사로 계시는구나' 하며 깊은 인상을 받으셨다.

그런데 다음 날 내가 이 권사님과 통화를 하면서 교회 비준에 얽힌 이야기를 하게 되었고, 자연스럽게 김 대사님에 대해서 나누자 권사님은 매우 놀라셨다. 전날 몇 시간 동안이나 대사님에 대해 들었는데 전혀 다른 곳에서 걸려온 전화에서 동일하게 대사님에 관해서 이야기를 하니 뭔가 영적인 전율이 느껴졌다고 했다. 나는 권사님께 교회 장소를 위해 기도를 부탁드렸다.

권사님은 자신이 인도하는 성경공부 모임에 이 기도 제목을 말하게 되었다. 그때 같이 공부하던 한 권사님께서 성령의 감동을 받고, 충칭 땅에 교회를 세우라는 마음을 갖게 되었다고 한다. 그래서 나에게 전화가 걸려왔다. 우리 교회는 성전을 위하여 작정기도를 하고 있었기 때문에 그 분의 도움으로 하나님이 예비해주신 아름다운 건물을 구입할 수 있었고, 그 건물을 교회 장소로 삼아 비준을 얻게 되었다. 이 일련의 일들은 하나님께서 전적으로 간섭하신 것이라고 밖에 설명할 수 없다.

충칭은 도시는 크지만 한인은 불과 200~300명밖에 안 되는 조그마한 사회였다. 그러므로 우리 교회는 성장에 한계가 있었다. 그래서인지 내 마음속에 늘 '나는 성공한 목회자는 되기는 틀렸다'는 생각이 있었다. 한인이 많지 않은 곳에서 한인교회를 목회하는 목사는 세상적인 기준으로 볼 때 성공할 수 없는 한계가 있었다고나 할까? 그런데 교회 입당예배에 대사님이 오셔서 해주신 말씀은 큰 도전이 되었다. 대사님은 나의 이런 마음을 꿰뚫어 보신 것 같았다. 나에게 전해주시는 말씀이 모두 그런 내용의 간증이었다. 대사님은 '성공보다는 승리'라는 제목의 말씀을 간증과 더불어 전해주셨다.

어떤 면에서 보면 비슷한 말씀인 것 같지만 '성공'은 세상적인 개념에서 좀 더 많이 사용되고 '승리'는 사명적인 면에서 더 많이 사용된다고 할 수 있었다. 그러니 하나님이 나에게 주신 사명, 즉 충칭 한인교회에 보내셨다는 그 사명을 충성스럽게 순종하면 그것이 바로 내가 할 수 있는 최고의 승리이고, 하나님은 그것을 받으시기를 기뻐하신다는 뜻으로 받아들였다. 내 마음의 무거운 짐이 거두어졌던 시간이었다.

내가 충칭에 다녀 온 지 4년이라는 시간이 흘렀지만 지금도 정 목사님의 하나님에 대한 사랑과 헌신을 생각하면서, 충칭교회를 위하여 기도하고 있다. 특히 목사님이 가지고 있는 하나님을 위한 그 비전이 하루빨리 이루어지기를 매일 기도하고 있다.

교회를 지키시는 하나님

2002년 9월 초에 나는 산시성(陝西省) 시안을 방문했다. 도착한 날이 주일이라 한인교회를 찾았더니 목사님이 50여 명의 교인(주로 유학생)들과 한국 식당에서 예배를 드리고 있었다.

최윤철 목사님은 자신도 전날 시안에 도착하여 첫 예배를 드리는 것이라고 했다. 나는 생전 처음으로 불고기판이 있는 식탁에서 주일 예배를 드렸다. 나는 이 교회와 목사님에 대한 궁휼한 마음을 느껴 베이징으로 돌아와서도 시안한인교회와 목사님을 위해 매일 기도하기 시작했다.

그리고 3년 후 다시 시안을 방문하게 되었다. 산시성 정부와 일정을 협의하는 과정에서 나는 도착하는 날이 주일이니 시안에 도착하는 대로 시안한인교회 예배에 참석하겠다고 통보했다. 성(省)정부에서는 난

색을 표하면서 한인교회가 위치한 곳이 대사가 갈 만한 곳이 못되니 가지 말라고 권유했다. 하지만 내가 꼭 가겠다고 고집해 시안에 도착하자마자 공항에서 바로 교회로 갔다.

교회는 중국인들이 사는 아주 외진 곳에 위치하고 있었다. 식당에서 출발한 교회는 성장은 했지만, 여전히 환경이 너무 열악했다. 목사님과 150여 명의 교인들은 대사가 찾아온 것에 대해 매우 흥분해 있었다. 나는 그들을 위로하면서, 중국과 중국인을 사랑하라고 강조했다. 그리고 함께 점심을 먹으면서, 목사님과 교인들의 가장 큰 고충인 공안들의 끊임없는 단속과 그로 인한 예배의 어려움에 대해 들었다. 나는 무거운 마음으로 호텔로 돌아갔다.

다음 날 여러 공식 일정을 마치고, 저녁에 산시성 정부의 당서기를 면담하고 환영 만찬에 참석하게 되었다. 당서기는 나와 동갑으로 전에 베이징에 왔을 때 우리 대사 관저에서 식사를 한 적도 있는 나와는 아주 가까운 사이었다. 당서기와 만찬을 하며 이야기를 나누면서 그에게 한인교회의 어려움을 설명했다.

"산시성 내 일부 한국인들이 성정부로부터 종교 활동의 제한을 받고 있습니다. 해외에서 화교들이 주기적으로 자체적 모임을 가지고 친목을 도모하는 것처럼, 한국인들도 자유롭게 그들만의 모임을 갖고 정상적인 종교 활동을 하는 것에 대해 성정부가 인정하고 도와주십시오."

이에 대해 당서기는 흔쾌히 도움을 약속했다.

"외국인들이 자체적인 종교 활동을 가지는 것은 문제될 것이 없습니다. 한국인들이 종교 활동을 편하게 할 수 있도록 관련 부서에 지시하겠습니다."

"그럼 이 자리에서 책임자를 한 명 지정해주시면 제가 한인교회 목사와 연결해주겠습니다."

당서기는 좋다고 하면서, 그 자리에서 관리 한 명을 지정했다. 나는 그 관리에게 만찬이 끝난 다음 좀 더 이야기를 나누자고 했다. 그리고 수행한 대사관 직원을 시켜 최윤철 목사님에게 연락을 해서 바로 만찬 장소로 오셔서 기다리시라고 전했다.

만찬을 마치고, 나는 당서기가 지정한 관리와 밖에서 기다리고 있던 최 목사님을 만났다. 나는 두 사람에게 당서기가 말한 것을 다시 한 번 확인해주고 앞으로 어떻게 하면 좋을지 잘 협의해보라고 하고 그 자리를 떠났다. 최 목사님은 나중에 내게 전화를 해서 그 관리를 만나 자신들의 어려움을 잘 설명했으며, 앞으로 성정부에서 도와주겠다는 약속을 받았다고 말했다. 그리고 나는 베이징으로 돌아왔다.

며칠 후 서류를 보고 있는데 별안간 성령께서 최윤철 목사님에게 전화를 하라는 마음을 주셔서 전화를 했다. 벨이 한참 울리고 나서야 목사님이 전화를 받으셨다. 그런데 목소리에서 상당히 긴장하신 듯한 느낌을 받았다.

"목사님, 옆에 누가 있습니까?"

"네."

"중국 사람인가요?"

"그렇습니다. 성정부 관리입니다."

"그를 좀 바꿔주십시오."

전화를 받은 관리는 내가 며칠 전 시안에 갔을 때 만난 사람이었다. 그는 당황하는 기색이 역력했다.

"당서기가 지시한 것을 그렇게 빨리 이행하기 위해 직접 한인교회에 와주어 고맙습니다. 나중에 당서기를 만나면 당신들의 협조 상황도 잘 이야기하겠습니다."

그는 당황한 목소리로 알겠다고 대답을 했다. 나는 다시 목사님에게 열심히 하시라고 한 다음, 전화를 끊었다. 그리고 몇 시간 뒤에 목사님에게서 이메일이 왔다.

오늘 오후에 성정부 관리들이 교회를 찾아왔습니다.
그들은 여기에 교회가 있다는 사실을 이미 들어서 알고 있었다고 하면서 만일 이번에 대사께서 교회 비준에 관한 말씀을 하시지 않았더라면 한 달 후 자기들이 공안을 데리고 올 계획이었다고 하더군요. 그러면서 한 관리가 법을 거론하며 우리 교회가 실정법을 어긴 사실을 지적하기 시작했습니다. 바로 그때 대사님이 전화를 주신 것입니다. 얼마나 적합한 타이밍이었는지요.

나는 이메일을 읽은 다음, 그 자리에서 무릎을 꿇고 하나님께 감사했다. 하나님은 정말 우리를 눈동자처럼 지키고 계셨다.

사모가 기다린 기도문

2007년에도 나는 시안 총영사관 개관식에 참석하기 위하여 시안을 방문했다. 그리고 총영사관 개관 기념 축하 오찬에 참석했다. 나는 베이징을 떠나기 전 하나님께서 최윤철 목사님에게 주시는 말씀을 준비했지만 목사님에게 불쑥 드리기에는 좀 부담스러운 내용이었다. 그래서 오찬장 옆에 있는 접견실에서 목사님과 잠시 인사만 나누고 기도문은 주지 않았다.

최 목사님이 오찬장으로 가기 위하여 나가시고, 잠시 후 나도 오찬에 참석하기 위하여 밖으로 나가는데 목사님이 문 밖에 서계셨다. 나는 순간적으로 목사님이 기도문을 기다리는지도 모른다고 생각했다.

"목사님, 혹시 이것 때문에 그러세요?"

나는 안주머니에서 기도문이 들어 있는 봉투를 꺼냈다. 그러자 목사님은 얼른 기도문을 받더니 감사하다고 하면서 오찬장으로 들어갔다. 그 후 목사님은 다음과 같은 이메일을 보내왔다.

지난번에 주셨던 하나님의 말씀이 지금 저희들에게는 얼마나 큰 힘이요 은혜인지 그저 감사할 따름입니다.

놀랍게도 지난 두 달 동안 제 아내의 일기장에 쓰인 반복되는 한숨과 탄식의 소리가 대사님이 주신 말씀 가운데 그대로 기록되어 있었습니다. 대사님을 만나는 날, 아내는 하나님께 대사님을 통해서 메시지를 주시기를 기도했답니다. 그리고 저에게 대사님이 메시지를 주실 테니까 그걸 받아가지고 오라고 했는데 대사님께서 주시지 않아서 밖에서 기다리고 있었던 것입니다.

최 목사님과 나는 이후로도 이메일과 전화로 계속 연락을 하면서 여러 가지 문제들을 기도로 해결해나갔다. 하나님의 도우심이 없이는 해결될 수 없는 문제들이 기도를 통해 하나씩 해결되어 가면서 우리는 더욱 하나님께 찬양과 감사를 올려드렸다.

신령파가 된 목사님

최 목사님은 2009년 6월, 중국에서의 7년간 사역을 훌륭히 끝내고 한국으로 돌아오셨다. 목사님은 중국을 떠나기에 앞서 그동안 나와 있었던 이야기들을 정리해서 보내주셨다.

시안에서 온 편지

담임목사로서의 첫 임지인 시안한인교회의 초대목사로 부임하기 위해 비행기를 탄 것이 2002년 9월 첫 주 토요일이었다. 시안에 부임한 첫 주일, 50여 명의 대학생이 있었지만 장년 성도가 몇 명 되지 않는 가운데 뜻밖에 낯선 손님들이 예배에 참석했다. 김하중 대사님과 사모님 그리고 수행원이었다. 마치 하나님께서 나를 격려하기 위해 보내주신 천사 같았다.

이후 대사님은 늘 나와 우리 교회를 위해 기도해주셨고, 전화와 인편을 통해서 안부를 챙겨주셨다. 당시 교회는 중국 정부로부터 허가를 받은 상태가 아니었고, 선교사들의 추방과 한인교회가 겪는 어려움에 대한 소식을 들으면서 움츠러들 수밖에 없었는데 그때 대사님의 관심과 성원은 천군만마와 같은 힘이었다.

나는 개인적으로도 대사님을 통해 많은 은혜를 받았다. 무엇보다 대사님은 나와 우리 교회를 위해 매일 기도해주셨다. 내가 훌륭한 목사라서가 아니라 나와 시안한인교회가 하나님나라를 세워가는 데 있어 중요하다는 관점에서 간절히 중보하셨으리라 믿는다.

또한 대사님은 그렇게 기도하시면서 받은 하나님의 말씀을 나누어주셨다. 사실 나의 신학과 성장 배경은 성령의 은사와 능력 쪽은 전반적으로 금기시하는 분위기였다. 그러나 대사님이 나의 이런 배경과 성향을 한눈에 보시고는 나를 존중해주시고 배려해주신 것이 얼마나 감사했는지 모른다.

처음에는 대사님 같은 분이 신령파라는 것이 약간은 당혹스러웠다. 그러나 '대사님 같은 분이 신령파라면 그 신령함을 추구할 필요가 있지 않을까? 내게도 그런 신령한 은사와 능력이 필요하지 않을까?' 하며 사모하는 마음을 갖게 되었다. 이후 하나님께서는 나와 아내를 과거와는 다른 신령파(?) 사역자로 바꾸셨는데, 이 부분에서 대사님이 큰 몫을 담당하셨다.

또한 대사님은 나를 만날 때마다 환대해주셨다. 물론 대사님으로부터 환대를 받은 목사나 사역자들이 한두 사람이 아닐 것이다. 대사님은 '척박한 땅으로 하나님의 보내심을 받은 종'이라고 우리 같은 사역자들을 존중해주시고 배려해주셨다. 이것은 하나님께서 대사님을 중국에 하나님의 대사로 세우셨다고 믿고, 그분 앞에 충성하는 자로 사셨기에 가능했던 일이라고 생각한다.

최윤철 목사님은 중국 시안 땅에 하나님을 위하여 정말로 많은 씨앗을 뿌렸다. 그가 흘린 눈물이 얼마이겠으며, 그가 하나님께 드린 기도가 얼마인지 누가 상상할 수 있겠는가? 하나님께서는 그를 사랑하시고 그의 사역을 아주 흡족하게 생각하고 계실 것이 확실하다.

나는 최 목사님이 오직 성령님의 인도하심에 민감하기를 갈망하는 분이기에, 하나님보다 절대로 앞서가지 않을 것임을 확신한다. 또한 앞으로도 열방을 위한 중보자로서 하나님나라가 이 땅 가운데 임하고, 주님이 오실 길을 평탄케 하는 일을 위해 무릎 꿇고 준비할 것으로 믿는다.

난징으로 가라

2005년 봄에 하나님께서는 나에게 계속 난징(南京)에 가라는 마음을 주셨다. 그러던 중 4월, 난징에서 열리는 한국의 한 대기업 공장 준공식에 초청을 받아 가게 되었다. 난징은 장쑤성(江蘇省)의 성도(省都)였고, 그곳의 당서기는 나와 가까운 사이였다. 그래서 장쑤성 정부에 연락을 했더니 도착하는 날 만찬을 함께하자고 했다. 그런데 난징에 도착해보니 당서기와의 만찬이 다음 날 오찬으로 변경되어 있었다. 나는 일정이 왜 갑자기 변경되었는지 궁금했지만 어쨌든 예정대로 난징대학(南京大學)에 가서 중국 학생들을 상대로 강의를 했다.

강의실에는 수백 명의 중국 학생들이 앉아 있었는데, 학생들 사이에 넥타이를 맨 남자 한 명이 유독 눈에 띄었다. 약간 통통한 체격이 중국인 교수 같아 보였다. 강연이 끝나고 학생들과 기념 촬영을 하고 차에 타려는데 강의실에 앉아 있던 그 사람이 내 차 옆에 서 있었다. 나는 중국말로 물었다.

"이 학교 교수이십니까?"

그는 한국말로 대답을 했다.

"저는 난징한인연합교회 박훈서 목사입니다."

"아니, 목사님이 여기 왜 계세요?"

"대사님을 뵈러 왔습니다."

"그럼 저녁 드시고 호텔로 오세요."

저녁 때 박 목사님이 교회 장로님과 함께 호텔로 찾아오셨다.

"저는 몇 년 전부터 이곳 난징에 와서 사역을 하고 있는데, 지방 공안이 계속 방해를 하고, 예배 장소도 구하지 못해 어려움이 많았습니다. 작년에 상하이연합교회 엄기영 목사님을 만났을 때 이런 어려움을 말했더니 엄 목사께서 대사님 말씀을 하면서, 대사님이 난징에 오시기만 하면 반드시 문제를 해결해주실 것이라고 했습니다. 그때부터 매일 대사님이 난징에 오시기를 간구했습니다."

나는 목사님의 이야기를 들으면서, 하나님께서 그동안 나에게 자꾸 난징에 가라는 마음을 주신 이유를 알게 되었다. 목사님은 흥분된 어조로 계속 말씀하셨다.

"그런데 며칠 전 난징대학 앞을 지나다 대사님이 오늘 이곳에서 강연을 하신다는 것을 알게 되었습니다. 저는 너무 놀라서 무조건 강연에 참석해서 대사님과 이야기할 기회를 만들어야겠다고 생각했습니다."

이 이야기를 통해 나는 저녁에 예정되었던 장쑤성 당서기와의 만찬이 미뤄진 이유도 알게 되었다. 그러면서 목사님은 내게 장쑤성 정부와 난징시 정부에 한인들이 자유로운 종교 활동을 할 수 있도록 요청해주기를 부탁하셨다. 그러면서 조심스럽게 또 한 가지 부탁을 하셨다.

"또 하나는 모 기업의 난징 지사에 근무하는 회사원 부인 세 명이 매일 새벽에 교회에서 그들의 남편이 하나님께 돌아오기를 눈물로 간구하고 있는데, 대사님이 그들이 교회에서 준비하고 있는 '아버지학교'에 나올 수 있도록 도와주시면 좋겠습니다."

나는 좀 황당했다.

"목사님, 제가 그 분들 아버지학교 가는 것까지 어떻게 도와드리겠습니까?"

"대사님은 도와주실 수 있다고 생각하여 드리는 말씀입니다."

목사님 일행이 돌아가고 그날 밤 나는 박 목사님이 요청한 두 가지 문제에 대하여 하나님께 기도했다. 기도를 하는데 하나님께서 도와주실 것이라는 확신이 들었다.

다음 날 성정부의 당서기가 주최하는 오찬에 참석했다. 오찬이 끝날 무렵, 당서기는 나에게 자신이 도와줄 수 있는 특별한 문제가 있는

지 물었다. 나는 장쑤성에 사는 한국인들의 종교 활동에 대한 공안당국의 부당한 간섭으로 인해 민원이 증가하고 있으니 한국인들의 자유로운 종교 활동을 보장해달라고 요청했다. 당서기는 외국인이 중국인을 상대로 한 선교 활동만 아니라면 한국인의 자체 종교 활동은 문제가 되지 않는다고 대답했다.

나는 중국인들을 상대로 한 선교 문제를 거론한 것이 아니며, 유학생과 교민 등 한국인들의 자유로운 종교 활동이 방해받지 않도록 해달라는 것임을 재차 언급하고, 성정부의 적극적 협조를 다시 한 번 요청했다. 당서기는 순수한 목적의 한국인 종교 활동에는 아무런 문제가 없도록 하겠다고 대답하고, 배석한 고위 관리에게 한인 교회에 대한 비준 문제를 적극 고려하라고 지시했다.

모두 이루어주시다

그날 오후에 우리 기업의 공장 준공식이 있었다. 나는 준공식에 참석한 난징시 당서기에게도 한인교회 비준 문제에 대하여 적극 협조해달라고 요청했다. 그도 기꺼이 도와주겠다고 대답했다. 그날 저녁 공장 준공식을 축하하는 만찬의 자리에서도 나는 난징 시장과 시정부 관리들에게도 교회 비준 문제를 부탁했다. 그들도 흔쾌히 도와주겠다고 약속했다. 비로소 난징한인연합교회의 비준 문제가 가닥을 잡게 된 것이다. 문제는 박 목사님이 이야기한 회사원들을 아버지학교에 보내는 것이었다. 나는 계속 이 문제에 대해 생각했다.

그날 저녁 만찬장에 갔더니 수백 명의 인사들이 참석해 있었다. 만찬이 진행되는 도중에 누가 내 테이블로 오더니 인사를 했다. 바로 박 목사님이 이야기한 회사의 사장이었다.

"대사님께서 이번에 먼 길을 오셨는데, 변변히 모시지도 못하고 내일 베이징으로 올라가신다니 섭섭합니다. 혹시라도 제가 도와드릴 일이 있으시면 언제든지 연락을 주십시오."

"그 말씀이 정말입니까?"

"네, 정말입니다."

나는 회사원 세 명의 이름을 말했다.

"이분들 아십니까?"

"저희 회사 직원들인데요? 왜 그러십니까?"

나는 자세한 이야기를 하려면 길고, 만일 가능하다면 주말에 그 사람들이 아버지학교에 갈 수 있도록 해주면 좋겠다고 말했다.

"아버지학교요? 그게 뭔데요?"

"교회에서 아버지로서의 소양을 갖추도록 교육시키는 게 있는데 그냥 보내주시기만 하면 됩니다. 가능하시겠어요?"

"네, 그렇게 하겠습니다. 걱정 마십시오."

다음 날 내가 난징을 떠나 베이징에 도착해서 차를 타고 가는데 휴대전화 벨이 울렸다.

"대사님! 할렐루야!"

박훈서 목사님이었다. 목사님이 이야기하던 회사 직원 세 명이 모두 이번 주말에 아버지학교에 나오기로 했다는 것이었다. 나는 다시 한 번 하나님께서 구하는 자의 기도를 들으시고 응답하시는 신실한 분이심을 경험할 수 있었다.

그 후 나는 박 목사님과 교회 비준에 관련해 계속 이메일과 전화를 주고받았다. 그리고 드디어 2006년 1월 20일에 비준을 받게 되었다.

비준증서를 받은 날 박 목사님이 다음과 같은 이메일을 나에게 보내셨다.

> 할렐루야! 대사님과 함께 하나님을 찬양드리고 싶습니다.
>
> 어제 드디어 비준증서를 받았습니다. 장쑤성에서 처음 만든 종교 활동 비준이라고 합니다. 증서에 새겨진 외국인 종교 활동 허가 내용과 교회 이름을 보면서 감격스러운 마음을 주체할 수가 없었습니다. 잃었던 하나님의 언약궤를 찾았을 때가 이러했을까요? 이 모든 결과에 큰 힘이 되어주셨음을 진심으로 감사드립니다. 지난주에는 모든 성도들에게 대사님이 보내주신 이메일을 읽어주었습니다. 통변하여 들려주신 주님의 음성을 들을 때 모든 성도들이 아멘으로 화답했습니다. 이제 일하는 소에게 씌워졌던 망이 거둬졌으니 힘찬 걸음으로 우직하게 목양 일념의 길을 가겠습니다. 더 기쁜 구원의 소식을 추수하면서 새 소식으로 인사드리겠습니다.

최근 박 목사님은 중국에서 돌아와 한국의 청년들과 중국인 유학생을 향한 비전을 품고 군산에서 교회를 개척하셨다. 30대의 젊음을 중국에서 바치고, 이제 40대를 시작하는 즈음에 하나님께서 부르신 또다른 소명에 감사하며 순종하는 목사님을 위하여 나는 지금도 매일 기도하고 있다.

천국은 침노하는 자의 것

베이징 찬양의교회는 교인 수는 적지만 아주 뜨거운 교회이다. 담임목사이신 안홍기 목사님은 과거에 미스터코리아를 한 훌륭한 체격과 오랜 기간 기업인으로서 풍부한 사회 경험을 가진 분이었다. 그런 화려한 이력에도 그 마음이 참으로 순수하신 것이 놀라웠다.

2006년 6월에 나는 이 교회 창립 3주년 기념예배에 참석하여 특강을 했다. 예배가 끝나고 식사를 하는데, 안 목사님이 자신도 방언을 하기를 원한다고 하면서 나에게 안수기도를 해달라고 하셨다. 나는 교인들이 있는 자리에서 안수하기 불편하여 정중히 거절하고, 대신 매일 목사님을 위해 기도하겠다고 약속했다.

이후 몇 달 동안 안 목사님의 방언을 위해 기도했는데, 어느 날 갑자기 찬양이 나오면서 엄청난 기쁨을 맛보게 되었다. 목사님의 방언이 터졌다는 확신이 들어 목사님께 전화를 했다. 안 목사님은 얼마 전부터 방언을 하는 것 같은데 자신이 하는 것이 방언이 맞는지 모르겠다고 하시면서 여러 가지 질문을 하셨다. 목사님은 방언을 하시게 되면서 나중에는 하루에 4~5시간씩 기도를 하는 기도의 용사가 되셨다.

우리는 그 후 전화와 이메일을 통하여 교제를 계속했다. 내가 이 글을 쓰면서 세어보니 안 목사님과 지금까지 나눈 이메일이 무려 120통에 이르렀다. 안 목사님은 교회나 자신에게 무슨 일이 생기면 항상 내게 연락을 해서 중보기도를 부탁하셨다.

한번은 목사님이 귀가 심하게 아프다고 하면서 중보기도를 부탁하셨다. 나는 바쁜 중에도 안 목사님의 귀를 낫게 해달라고 간절히 기도했다. 얼마 후, 안 목사님의 귓병이 나았다는 연락이 왔다. 정말로 놀라웠다. 나는 목사님을 보면서 천국은 침노하는 자의 것(마 11:12)이라는 말씀을 실감했다.

2007년 9월 쯤 안 목사님이 대사관으로 나를 찾아오셨다. 접견실에서 차를 마시면서 목사님은 중국에서의 목회의 어려움을 이야기하셨다.

내가 목사님을 위로하며 말했다.

"목사님, 저와 목사님은 학연도, 지연도, 혈연도 그밖에 별다른 인연도 없습니다. 그런데 이상하게도 기도만 하면 하나님께서 목사님을 위해 기도하라고 하십니다."

내 말을 듣고 있는 목사님의 눈시울이 금세 붉어졌다.

"목사님, 베이징에서 하고 싶은 대로 담대하게 무엇이든 하십시오. 하나님께서 함께하시고, 제가 뒤에 있으니 아무것도 염려하지 마시고 하시고 싶은 대로 다 하십시오."

목사님은 감격하여 말했다.

"대사님의 말씀을 들으니 정말이지 세상에 두려울 것이 하나도 없습니다. 지금까지 수없이 많은 어려움이 있었지만 도리어 중국에서 그것도 베이징에서 목회하는 것이 감사합니다. 힘들고 지친 나의 몸과 마음과 영혼을 하나님께서 이렇게 친히 대사님을 통해 위로해주시니 저처럼 행복한 목사가 세상에 어디 있겠습니까?"

그 후 안 목사님은 2009년 12월에 7년간의 중국 사역을 마치고 1년의 안식을 가지기 위해 미국으로 떠나셨다. 목사님은 미국으로 떠나기 전에 그동안 나와 있었던 이야기들을 정리해서 보내주셨다.

베이징에서 온 편지

나는 남다른 이력을 통해서 여러 상황과 여러 곳에서 하나님을 찬양하고 천 번이 넘는 간증 집회를 하던 중 주님의 부름을 받고 뒤늦게 신대원에 진학하게 되었다. 2001년에 학교를 졸업하고 이듬해 10월 14일에 대한예수교장로회 개혁총회 수도노회에서 목사 안수를 받고 불과 2개월 후에 중국 베이징시 차오양구(朝陽區)에 있는 국빈호텔에서 찬양의교회를 개척했다.

이처럼 짧은 기간에 목사가 된 것이니 나 자신이 생각해도 부족한 것은 이루 말할 수 없었다. 비록 늦은 나이인 마흔여섯 살에 시작한 첫 목회이지만 열정 하나만은 누구에게도 뒤지지 않았다. 그렇게 3년 동안 나름대로 열심히 한다고 했지만 자신에게 불만이 한두 가지가 아니었다. 특히 오랜 시간 기도할 수 없는 것이 늘 마음에 걸렸다. 교회 개척 후 성도들과 새벽기도를 시작했는데, 정작 목사인 나 자신은 깊은 기도가 되지 않아서 애를 태우고 있었다.

그렇게 갈등하고 있던 중 창립 3주년 기념 예배를 드리게 되어, 대사님을 초청해 말씀을 들었다. 예배가 끝나고 대사님을 모시고 교회 중진 몇 분과 함께 점심식사를 했다. 그때의 대화 주제도 역시 기도였다. 대사님이 오랜 시간동안 기도하신다는 것이 감동이 되어 '나도 깊은 기도를 하고 싶어서 방언을 하기를 원하지만 잘 안 된다'고 말씀드리자, 뜻밖에도 대사님은 "목사님도 금방 방언을 하실 수 있습니다"라고 하셨다. 그래서 나는 "죄송하지만 저에게 안수 좀 해주십시오"라고 부탁드렸다. 그러나 대사님은 안수기도 대신 "앞으로 목사님의 방언 기도를 위해서 기도하겠습니다"라고 하셨다.

그때를 계기로 하나님께 방언으로 기도하게 해주시기를 간절히 구하게 되었다. 부끄러움을 무릅쓰고 방언으로 기도하는 교인들에게 함께 기도해주기를 부탁했다. 그러나 하루, 이틀, 일주일이 지나도 좀처럼 방언으로 기도가 되지 않았다. 하루는 너무 안간힘을 쓰는 내 모습을 보던 교인들이 나를 빙 둘러싸고 합심기도를 하기도 했다. 그렇게 애를 쓰던 어느 날 대사님으로부터 전화를 받았다.

"목사님, 요즘 방언으로 기도하시던데요?"

나는 기뻐서 "요즈음 제가 기도하는 것이 방언입니까?"라고 반문했다. 그렇게 대사님의 축하를 받으면서 나는 방언기도를 시작하게 되었다. 이 황량하고, 곤고한 땅에서 부족한 것이 많았던 목회자가 조금씩 기도의 용사로 변하게 되었다.

그 후로 대사님은 내게 어려운 일이 닥치거나, 교회에 무슨 일이 있을 때마다 신기하게도 전화나 이메일로 기도 중에 하나님께서 주신 말씀들을 보내주셨다. 그런 기도와 격려로 여러 가지 어려움을 이기고, 피해갈 수 있었다. 대사님은 나뿐만 아니라, 어려운 교회와 목회자들에게 위로자가 되어주셨다. 대사님은 훌륭한 주중대사이기도 했지만, 하나님을 믿고 섬기는 우리에게는 더없이 소중한 하나님의 대사이셨다.

안홍기 목사님은 하나님의 신실한 종이며, 하나님의 사랑을 받는 아들이었다. 말로 형언할 수 없는 많은 고난과 역경의 연속에도 그는 오직 하나님만을 의지하면서 나아갔다. 하나님은 앞으로도 목사님을 사랑하실 것이며, 그에게 30배, 60배, 100배로 갚아주실 것이 확실하다. 이제 안 목사님이 미국에서 안식년을 마치고 돌아오면, 용감하게 한편으로 참으로 순박하게 하나님께서 가장 좋아하시는 방법으로 하나님의 사역을 계속할 것이다.

chapter 07

순종으로 얻은 축복

나는 지금도 가끔 길에서 고장나 멈춰버리는 자동차를 타면서
하나님의 응답이 떨어질 날을 기다리고 있다.
나의 이 순종을 하나님께서 기뻐하실 것이라 확신한다.

진정한 축복

나는 지난 36년 동안 공무원 생활을 했다. 30여 년을 외교관으로 지내면서, 대통령 외교안보수석비서관도 했고, 주중대사도 했으며, 통일부 장관도 했으니 세상 사람들이 봤을 때 공무원으로서는 꽤 성공했다고 말할 수 있다. 많은 사람들이 나에게 그 비결을 물을 때마다 나는 항상 이렇게 대답한다.

"제가 한 것은 아무것도 없습니다. 오직 하나님께서 저를 인도하셔서 여기까지 데려오신 겁니다."

사람들은 성공을 원한다. 어떤 사람은 돈을 많이 벌기 원하고, 어떤 사람은 명예를, 어떤 사람은 권력을 갖기를 원한다. 그걸 얻기 위해서 공부를 열심히 해서 좋은 학교에 들어가 학위도 받고, 각종 모임이나

행사에 열심히 쫓아다니기도 하며, 소위 인적 네트워크를 구축하기 위하여 영향력 있는 사람들과 골프도 치고, 술도 마시는 등 인간관계에 많은 시간과 정력을 쏟고 있다.

나는 정부의 고위직에 있으면서, 이른바 권력이 있거나 명예가 있거나 돈이 있는 사람들을 많이 만났다. 그러면서 그들로부터 몇 가지 공통점을 발견할 수 있었다. 많은 사람들이 답답하고, 불안하고, 마음에 초조함이 가득했다. 그리고 자신이 원하는 목표를 빨리 이루려다 보니 남이 잘되는 것을 보지 못했다. 그래서 시기와 질투가 많고, 사랑도 여유도 없었다.

여러 가지 방법을 통해 돈이나 명예나 권력을 갖는다고 해도 답답하고 불안하며 남을 미워하고 산다면, 세상에서는 그것을 성공이라고 할지 모르지만 축복은 아니다. 돈이나 명예나 권력을 가졌음에도 불구하고 아무도 그를 존경하지 않고 사랑하지 않는다면 그것은 의미 없는 삶이다. 존경과 사랑은 고사하고 남들로부터 계속 손가락질과 지탄을 받는다면 그것은 성공도 아니고, 축복도 아니며, 어떤 의미에서는 헛된 것을 좇는 삶일 뿐이다.

세상 사람들은 자신이 원하는 것을 얻기 위해 사람을 의지한다. 그래서 자신의 목표를 달성하는 데 도움을 줄 수 있는 사람들을 잘 관리하여 자신이 필요할 때 동원하기 위해 온갖 노력을 기울인다. 그리고 자녀들이 나중에 사회에 나가 도움을 얻을 수 있는 사람들을 많이 확보하기 위해 좋은 학교에 보내려고 야단이다. 그렇게 사람을 의지하는 자는 하나님을 온전히 믿기가 어렵다. 물론 그들의 입장에서는 있

는지 없는지도 확실하지 않은 하나님을 의지한다는 것이 웃기는 일인
지도 모른다.

세상 사람들은 그렇다 치고 하나님을 믿는다는 크리스천들도 비슷
한 현상을 보이고 있다. 왜냐하면 교회를 다니고 성경도 읽지만 세상
사람들과 똑같은 방법으로 살아가다보니 하나님을 만날 수 없고, 그
러다보니 하나님의 살아계심을 확신할 수 없기 때문이다. 마음으로는
계속 갈등을 겪으면서도, 육신의 정욕대로 사니까 하나님을 만날 가
능성은 점점 더 희박해진다. 그러다 결국 크리스천들도 하나님의 축
복이 아닌 세상적인 성공에 매달리게 된다.

사람을 의지하는 자의 결국은 실망과 좌절이다. 이 세상의 어느 누
구도 나를 끝까지 사랑하고 실망시키지 않을 사람은 없다. 시간이 지
나고 상황이 변하면 결국 사람들은 변하기 마련이기 때문이다.

> 귀인들을 의지하지 말며 도울 힘이 없는 인생도 의지하지 말지
> 니 그의 호흡이 끊어지면 흙으로 돌아가서 그 날에 그의 생각이
> 소멸하리로다 야곱의 하나님을 자기의 도움으로 삼으며 여호와
> 자기 하나님에게 자기의 소망을 두는 자는 복이 있도다
>
> 시 146:3-5

크리스천에게 있어서 진정한 축복은 돈이나 명예나 권력이 아니라,
하나님을 경외하고 하나님 말씀에 순종하는 삶이다.

겸손과 여호와를 경외함의 보응은 재물과 영광과 생명이니라

잠 22:4

여호와를 경외한다는 것은 여호와의 지혜를 구하는 것이고, 여호와의 지혜를 구한다는 것은 기도한다는 것이다. 사람들이 그토록 원하는 부와 존귀도 결국은 하나님 안에 있다.

부와 귀가 주께로 말미암고 또 주는 만유의 주재가 되사 손에
권세와 능력이 있사오니 모든 자를 크게 하심과 강하게 하심이
주의 손에 있나이다 대상 29:12

지혜이신 예수 그리스도 안에서 누리고 나누는 부귀, 그리고 영원한 생명이 바로 진정한 축복이다.

리더는 기도해야 한다

많은 사람들이 리더가 되길 원한다. 리더는 결정을 내리는 사람이다. 그 결정이 올바른 사람은 훌륭한 리더가 된다. 중요한 일을 앞두고 결정을 할 자신이 없기 때문에 수없이 회의를 하고 협의를 하지만 결국 리더가 최종 결정을 해야 한다. 때문에 리더는 항상 해야 할지, 하지 말아야 할지, 가야 할지, 가지 말아야 할지를 결정해주어야 한다.

기도하지 않으면 어디로 가야 할지를 모르고, 가야 할 방향을 모르

면 담대할 수가 없다. 내가 주중대사로 일할 때 대통령에게 6월 말이면 사스가 끝난다고 말할 수 있었던 것은 보통 사람이 가질 수 없는 담대함이다. 대체 누가 그런 중요한 일에 자기 의견만으로 그렇게 말할 수 있을 것인가. 하나님이 말씀하셨기 때문에 담대할 수 있다.

> 사람이 자기의 친구와 이야기함 같이 여호와께서는 모세와 대
> 면하여 말씀하시며 출 33:11

지도자가 싸움에서 이길 수 없으면 사람들로부터 인정과 사랑을 받을 수 없다. 갈 길을 인도해주지 못하면 존경을 받을 수 없다. 그러므로 훌륭한 리더가 되고 싶다면 기도해야 한다. 기도하지 않으면 주님이 주신 통치의 권세를 가질 수가 없고, 사람을 움직일 수가 없기 때문이다. 성경에 나오는 모세, 여호수아, 다니엘과 같은 지도자들은 모두 기도하는 사람이었고 그랬기에 담대한 사람들이었다. 하나님과 친밀한 대화를 나누는 사람은 담대하고 길을 아는 그들은 훌륭한 리더가 될 수 있다.

세상 사람과 구별된 삶

앞서 말했듯이 나는 30년 동안 하나님을 떠나 있다가 1994년에 딸의 금식을 계기로 다시 예수를 믿게 되었다. 그리고 성령세례를 받고 눈물로 회개하면서, 서서히 세상적인 즐거움을 끊고 오직 하나님 말

씀에 순종하며 살아가기로 결심했다. 그 결심을 위해서는 포기해야 할 것이 많았다. 폭탄주를 열 잔씩 마시던 것도 몇 년 전부터 포도주 한 방울도 할 수 없게 되었다. 다른 세상적인 즐거움으로부터도 나를 멀리하기 시작했다.

그리고 어떤 경우에도 사람을 의지하지 않고 오직 기도하면서 하나님께서 내게 허락하시는 대로만 살아가려고 했다. 이전에도 그랬지만, 특히 하나님의 사람으로 다시 태어난 이후 누구에게도 나의 인사(人事) 문제에 관한 이야기를 하지 않았다. 대부분의 경우 감사하게도 다른 분들이 내가 이야기하기 전에 나를 도와주었지만, 내가 스스로 누구에게 나에 관한 부탁을 하거나 도움을 요청한 적은 한 번도 없었다. 혹시라도 내 입에서 그 말이 나오는 순간에 하나님께서 내 손을 놓으실까봐 두려웠기 때문이다. 그래서 누가 나에게 내 문제를 다른 사람에게 부탁해야 하지 않느냐고 이야기를 하면, 하나님께서 그 말을 들으실까 두려워서 화를 내곤 했다.

공직에 오래 있다보니 때때로 사람들이 나를 욕하기도 하고 비방하기도 했지만 나는 항상 그들을 위해 기도하고 축복했다. 지난 15년 동안 신문에 나에 관한 나쁜 기사나 나를 혹독하게 비난하는 칼럼이 실려도, 나는 한 번도 그러한 기사를 쓴 언론사나 그 글을 쓴 사람에게 연락해본 적이 없다. 공적인 것을 비난하는 경우에는 공적으로 대응했지만, 나 개인에 대한 공격이나 비난에 대해서는 아무런 변명이나 반박도 하지 않았고, 누군가의 협조를 요청하지도 않았다. 나는 오히려 그때마다 그들을 위해 기도하고 축복했다.

내가 주중대사를 할 때 어떤 사람들은 뒤에서 '대사가 골프도 안 치고 술도 안 먹고 그렇게 해서 외교가 되나?' 하고 비방했다. 그 사람들의 말은 세상적으로 볼 때는 맞다. 그러나 나라와 민족을 위해 일하는 데 반드시 골프 치고 술을 마실 필요는 없다고 생각했다. 나는 술 안 먹고 골프 안 치고도 최장수 주중대사가 되었다. 그들이 아무리 뒤에서 욕을 해도 하나님께서 나를 지키고 보호해주셨으며 나를 높여주신 것이다.

내가 통일부 장관을 할 때 어떤 사람들이 뒤에서 '통일부 장관은 일은 안 하고 기도만 한다'고 비아냥거렸다. 그 사람들은 장관을 안 해봤기 때문에 대한민국의 장관이 일을 안 하고는 하루도 견디기 어렵다는 것을 모른다. 그리고 더욱 중요한 것은 그렇게 바쁜 중에도 시간을 내어 나라와 민족을 위하여 기도하는 장관이 있다는 것이 그들에게 얼마나 축복이 되는지도 모르고 그렇게 이야기를 했다.

그러나 나는 그런 말들에 대하여 아무런 대꾸도 하지 않았다. 왜냐하면 나는 정말 그들과 구별되게 살고, 구별되게 행동하고 싶었기 때문이다. 그러면서 자주 시편 2편의 말씀을 생각했다.

어찌하여 이방 나라들이 분노하며 민족들이 헛된 일을 꾸미는가 세상의 군왕들이 나서며 관원들이 서로 꾀하여 여호와와 그의 기름 부음 받은 자를 대적하며 우리가 그들의 맨 것을 끊고 그의 결박을 벗어 버리자 하는도다 하늘에 계신 이가 웃으심이여 주께서 그들을 비웃으시리로다 시 2:1-4

세상이 주는 위협이나 유혹을 이길 수 있는 방법은 다른 데 있지 않다. 세상 속에 살지만 세상 사람들처럼 살지 않는 것이다.

"대사님, 누가 이렇게 저렇게 대사님을 욕합니다."

그럼 나는 이렇게 대답했다.

"욕하는 게 당연한 거예요."

"예? 무슨 말씀이신지요?"

"내가 하나님의 사람이니까 하나님이 없다고 하는 사람들이 나를 욕하는 것이 당연하지요. 괜찮아요."

나를 비난하고 욕한 이들은 내가 그 말을 듣고 무서워할 줄 알았겠지만 나는 도리어 그들을 축복하고 그들의 영혼을 위해 기도했다. 나는 하나님의 사람으로서 사람에게 변명을 하거나 사람을 쳐다보려고 하지 않았다.

여호와는 내 편이시라 내가 두려워하지 아니하리니 사람이 내게 어찌할까 시 118:6

영(靈)의 기도를 하라

우리는 왕 같은 제사장이다. 우리는 왕 같은 존재이다. 그럼에도 불구하고 우리는 돈을 조금 더 벌기 위해서, 또는 명예나 권력을 조금이라도 더 얻기 위해서 왕의 신분을 포기하고 어리석게도 세상 사람들처럼 행동할 때가 많다.

우리는 왕 같은 제사장답게 생각하고, 말하고, 행동해야 한다. 만일 우리가 신분을 망각하고 세상 사람처럼 행동하면 사람들에게 종노릇할 수밖에 없다.

> 그러나 너희는 택하신 족속이요 왕 같은 제사장들이요 거룩한 나라요 그의 소유가 된 백성이니 이는 너희를 어두운 데서 불러내어 그의 기이한 빛에 들어가게 하신 이의 아름다운 덕을 선포하게 하려 하심이라 벧전 2:9

세상 사람들은 우리에게 이렇게 이야기한다.

"당신들은 하나님을 믿어서 이미 구원받았으니까 천국에 갈 거 아니야. 그러니까 땅에서는 적당히 살아."

이건 거짓말이다. 우리는 적당히 살면 안 된다. 우리는 이 땅에서 하늘의 삶을 살아야 한다. 우리가 땅에서 하늘의 방식대로 살 수 있게 하는 것이 바로 기도이며, 하늘과 땅을 연결하는 기도를 통해서 하늘의 삶을 살 수 있다.

나는 많은 크리스천들이 세상 사람들과 똑같은 현상을 보이고 있는 가장 근원적인 문제는 기도에 있다고 생각한다. 많은 사람들이 영(靈)으로 기도하지 않고 혼(魂)으로 기도하기 때문이다.

고린도전서 3장 16절에서는 "너희는 너희가 하나님의 성전인 것과 하나님의 성령이 너희 안에 계시는 것을 알지 못하느냐"라고 말씀하신다. 하나님의 성령이 우리 안에 계시므로 우리는 성령의 사람인데도 매일 혼으로만 기도한다. 혼으로 기도하니까 하나님을 만날 수 없다. 하나님을 만날 수 없으니까 하나님과 교통이 안 되고, 그러니 하나님의 뜻이 어디 있는지 모른다. 하나님의 뜻이 어디 있는지 몰라 기도를 해도 응답을 받을 수가 없다. 응답을 받지 못하니 좌절하게 되고 그러다보니 기도하기가 싫어진다. 마침내는 기도하기를 포기하고 그냥 육신의 정욕대로 사는 것이다. 이런 경험들이 한 번쯤은 있을 것이다.

바람이 임의로 불매 네가 그 소리는 들어도 어디서 와서 어디로 가는지 알지 못하나니 성령으로 난 사람도 다 그러하니라 요 3:8

육(肉)의 사람은 자기 마음대로 살지만 영(靈)의 사람은 성령께서 이끄시는 대로 움직인다. 세상 사람들은 어디로 가야 할지, 어떻게 해야 할지 몰라 끊임없이 고민한다. 수없이 만나서 회의를 하고 의논도 해보지만 인간이 가진 한계 때문에 그 결과는 항상 미지수다. 사람의 지혜로 미래를 예측하고 올바른 판단을 내린다는 것은 사실상 불가능하다. 그렇기 때문에 불안할 수밖에 없다.

하지만 성령님은 항상 답을 주신다. 이스라엘 백성을 불기둥과 구름기둥으로 인도하신 것이 바로 성령님이셨다. 우리가 그 성령님을 의지하고 살면 놀라운 인생이 시작된다.

여호와께서 그들 앞에서 가시며 낮에는 구름기둥으로 그들의 길을 인도하시고 밤에는 불기둥을 그들에게 비추사 낮이나 밤

이것이 답이다. 알파와 오메가요, 전에도 계셨고 이제도 계시고 장차 오실 이, 전능하신 하나님께서 우리 각자를 구름기둥과 불기둥으로 인도하신다. 바로 그 길만이 항상 승리하는 길이고 의로운 길이다.

말씀에 순종하라

우리는 하나님께서 직접 말씀을 해주시거나, 다른 영적인 사람들로부터 기도를 받거나 또는 목사님의 설교를 통해서 자기에게 말씀을 주셨을 때 이에 순종해야 한다. 우리가 그 말씀에 순종하면 하나님께서는 우리에게 계속 복을 허락하시지만, 순종하지 않으면 더 이상의 복을 허락하지 않으신다.

그러나 말씀에 순종하는 것은 쉽지 않다. 자기의 소중한 것을 내려놓지 않으면 안 된다. 앞에서 이야기한 중국에서 사스가 발생했을 때 내가 한 행동들은 주중대사라고 하는 '자리'를 지키려고 연연했다면 절대로 일어날 수 없었다. 그러나 내가 나의 모든 것을 포기하고 하나님 말씀에 온전히 순종하는 순간에 하나님께서는 나를 지키시면서 당신이 역사를 이루신 것이다.

나는 지금도 2001년에 주중대사로 부임할 때 개인용 차로 구입한 구형 그랜저를 타고 다닌다. 외교관이 해외에 나가 2년 이상을 근무하면 새 차를 구입해서 귀국할 수가 있다. 그래서 2003년 말부터 차를 바꾸고 싶은 마음에 몇 번이나 기도했고 구체적으로 차종까지 적어놓고 매달려봤지만, 결국 하나님께서 허락하지 않으셨다.

아직도 그 이유는 알 수 없지만, 사람의 계획이 얼마나 부질없는 것인지 잘 알기에 나는 섣불리 차를 구입하지 못하고 있다. 나는 지금도 가끔 길에서 고장나 멈춰버리는 자동차를 타면서 하나님의 응답이 떨어질 날을 기다리고 있다. 나의 이 순종을 하나님께서 기뻐하실 것이라 확신한다. 그래서 매일 아주 작은 일까지도 하나님께 순종하려고 노력하고 있다.

너희가 즐겨 순종하면 땅의 아름다운 소산을 먹을 것이요 사 1:19

네 사위는 내가 결정할 것이라

나는 딸 하나와 아들 둘을 두었다. 맏이인 딸은 현재 유니세프(UNICEF, 국제연합국제아동긴급기금) 본부에서 근무하고 있다. 딸은 2000년에 유니세프에 들어간 이후 계속 외국에 나가 근무를 했다. 그러다 보니 선을 보거나 결혼 상대자를 만나기가 어려웠다. 딸이 나이가 들면서 나와 아내는 부모로서 슬슬 걱정이 되기 시작했지만 우리가 의지할 수 있는 것은 기도밖에 없었다. 그러던 중 2003년 한 전도사님이 우리 부부를 위하여 기도하는 중에 이렇게 말씀하셨다.

'네 사위는 내가 결정할 것이니, 네 마음으로라도 결정하지 말라. 모든 것을 자유롭게 내버려두라. 내가 할 것이라. 너는 중보하며 기도

하라. 내가 모든 것을 이끌 것이며, 네가 보아서 알게 할 것이라.'

나는 딸에게 말했다.

"아빠는 이 말씀이 이루어질 것으로 믿는다. 네 배우자는 하나님께서 정해주실 것이니 걱정하지 마라. 대신 네가 만 30세가 끝날 때(2006년 3월 말)까지는 반드시 결혼할 수 있도록 아빠가 하나님께 간구할게."

나는 딸이 계속 해외에서 근무를 해야 하기 때문에 30세가 넘은 다음에는 외국에서 한국 남자를 만나기도 어렵고 하니 자연히 결혼을 하기가 더 어려워질 것 같아 그렇게 이야기한 것이다.

우리 부부는 딸의 결혼을 위해 계속 기도했다. 그러던 중 당시 인도에 있던 딸이 휴가 차 12월 말에 서울에 들어간다는 연락이 왔다. 나는 딸이 한국에 갈 기회가 적은 만큼 매우 중요한 계기가 될 것 같다는 생각이 들었다. 그래서 하나님께 기도했다.

'하나님, 딸이 이번 12월 말에 일시 귀국을 하는데 반드시 하나님께서 예비하신 사람을 보여주십시오.'

하나님께서는 기쁜 찬양을 통해 나에게 그렇게 하시겠다는 확신을 주셨다. 그리고 12월 말 서울에 들어간 딸은 한 청년을 만났다. 딸은 서로가 좋은 감정을 가지고 있으며 계속 교제해보겠다고 베이징에 있는 내게 연락을 해왔다.

그리고 나는 2005년 2월에 열리는 재외 공관장회의 참석 차 서울에 가게 되었다. 회의가 끝난 다음 날 그 청년을 처음 만나게 되었다. 딸과 함께 우리 앞으로 걸어오는 그를 보는 순간, 나는 그가 내 사위임을 확신했다. 그 청년과 헤어진 다음 나는 딸에게 말했다.

"나는 그가 하나님께서 예비하신 네 배필이라고 생각한다. 그러니 이제는 네가 알아서 해라."

베이징으로 돌아온 후에도 나와 아내는 계속 기도했다. 그러던 중 딸에게서 연락이 왔다.

"아빠, 그 사람이 아들만 둘 있는 집의 차남인데 세 살 위인 형이 아직 미혼이라 부모님께서 올해 형이 먼저 결혼을 하고, 자기는 내년 가을에 장가를 가라고 하셨대요."

나는 딸이 2006년 가을에 결혼을 한다면 만으로 30세가 넘는데, 그것은 그동안 내가 하나님께 기도해온 것과 달라서 그럴 리가 없다고 생각했다.

이제 문제는 부모들 간의 대화였다. 그렇다면 양가 부모가 만나야 하는데, 나는 중국에서 근무를 하니 한국에 나갈 수가 없었다. 나는 하나님께 그 청년의 부모를 중국에 보내달라고 기도했다. 얼마 후 그 청년의 아버지에게서 전화가 왔다.

"아이들이 좋은 만남을 가지고 있으니 어른들이 한번 만나야 하지 않겠습니까. 저희들이 4월 말에 베이징에 가겠습니다."

나는 다시 한 번 내 기도를 들어주신 하나님께 감사를 드렸다.

말씀을 이루시는 하나님

며칠 후 나는 하나님께 오랫동안 기도해온 것처럼 딸의 결혼이 2006년 2월 말까지는 이루어져야 한다고 말씀드리고, 구체적인 결혼

일자를 여쭙기 시작했다. 기도를 계속하는 중 하나님께서는 9월 말에 결혼할 것이라는 확신을 주셨다.

나는 아내에게 말했다.

"아이들이 9월 말에 결혼할 것이니, 서둘러 결혼 준비를 시작해요."

"아니, 아직 남자 쪽 부모도 만나지 못했는데 무슨 말이에요?"

아내가 놀라 물었다.

"아무 의심하지 말고 그냥 준비나 해요."

그리고 4월 말에 남자 쪽 부모가 베이징으로 왔다. 우리는 처음 만났으면서도 마치 오랫동안 알고 지낸 사람들처럼 허심탄회하게 이야기를 나누었다. 그 분들은 큰아들을 먼저 결혼시키고, 작은아들은 후년 가을에 보내고자 하니 자신들의 입장을 이해해달라고 양해를 구했다. 그리고 우선 6월 초에 약혼을 시키자는 이야기를 나눴다. 나는 기도응답을 받은 것에 대해서는 아무 말도 하지 않고 그 분들의 말에 동의했다.

6월 초에 우리는 베이징에서 가족만 참석한 가운데 조촐하게 딸의 약혼식을 치렀다. 서울로 돌아가기 전날, 나는 사돈될 분들에게 그동안 내가 기도해온 내용들을 상세히 설명했다.

"저는 기도를 통하여 하나님께서 9월 말에 결혼을 허락하신 것으로 믿고 있습니다. 두 분이 돌아가셔서 기도를 해보시고 만일 동일하게 기도응답을 받으시면 결혼식을 9월 말에 하는 것이 어떻겠습니까? 그렇지만 혹시라도 같은 응답을 못 받게 되시면 내년 가을에 해도 상관없습니다."

사돈될 분들도 기도해보겠다고 말하고 한국으로 돌아갔다. 나는 다음 날 근무지인 인도로 돌아가는 딸에게 말했다.

"네가 하나님의 말씀을 믿고 순종하면 결혼이 이루어지지만 만일 하나님의 말씀을 의심하면 결혼이 이루어지지 않을 것이니, 돌아가면 바로 사표를 제출해라."

딸은 그렇게 하겠다고 말하고 인도로 돌아가자마자 유엔에 사표를 제출했다. 그리고 나는 계속 하나님께서 사돈될 분들의 마음을 움직여주실 것을 기도했다. 그러던 중 6월 18일 밤에 기도를 하는데 하나님께서 강력한 찬양과 말씀을 통하여 나의 기도에 응답해주셨다.

나흘 후에 청년의 아버지에게서 전화가 왔다.

"말씀하신 대로 9월 말에 결혼식을 하시지요."

전화를 끊고 난 다음, 나는 엎드려 하나님께 감사를 드렸다. 그동안 딸을 위하여 수없이 기도한 것을 하나님께서 약속하신대로 들어주신 것이 참으로 감사했다.

그리고 나는 사돈될 분들에게 다음과 같은 감사의 이메일을 보냈다.

존경하는 OO 부모님께

지난 6월 22일 밤에 아이들의 결혼식을 9월 말에 하기로 결정하셨다는 이야기를 듣고 무척 기뻤습니다. 우선 두 분이 여러 가지 어려우신 중에서도 저희들의 희망을 받아주신 것을 감사드립니다.

지난번에 상세히 말씀드렸지만, 하나님께서는 두 분이 베이징에 오시기 한 달 전에 이미 저에게 9월 말이 결혼식에 가장 좋은 시간이라는 믿음을 주셨습니다. 물론 저희들도 결혼식 일자는 상대방의 동의가 필요하기 때문에 일방적으로 결정할 수 없다는 것을 잘 알고 있었습니다. 그 때문에 몇 번이나 하나님께 가능하시다면 금년 말이나 내년 봄쯤 다른 시기가 어떻겠는가를 기도해보았지만, 일관되게 9월 말이라는 믿음을 주시는 바람에 어쩔 도리가 없었습니다. 지난 6월 18일 저녁에 기도를 하면서, 두 분이 그렇게 결정하신 것 같은 응답을 듣고, 연락을 기다리고 있었습니다.

하나님께서 부모들이 만나기도 전인 3월에 이미 아이들의 결혼식 일자에 대한 믿음을 주셨고, 이에 우리 모두가 순종했다는 것은 정말로 놀라운 일이 아닐 수 없습니다. 요즘 같은 세상에 누가 이러한 일을 믿을 수 있을 것이며, 어떻게 이런 일들이 일어날 수 있겠습니까? 이것은 하나님께서 아이들의 결합을 오래 전부터 계획해오셨고, 앞으로 이들의 결합을 통해 놀라운 일을 하실 것이라는 사인으로 생각합니다. 그런 의미에서 아이들의 결혼이 다른 어느 가정보다도 축복과 은혜가 넘치게 될 것을 확신합니다. 또한 아이들의 결합에 못지않게 저희들과 두 분과의 만남도 정말로 귀하고 소중한 것임을 하나님께 감사드리면서 계속 기도하고 있습니다. 항상 행복하시고 승리하십시오.

베이징에서 김하중, 배영민 드림

청첩장과 축의금이 없는 결혼식

며칠 후에 인도에 있는 딸에게서 연락이 왔다. 유엔에서 자신의 사표를 반려하고, 결혼 때문에 사표를 내려 한다면 휴직으로 처리하겠다고 했다는 것이다. 나는 다시 한 번 놀라고 감사했다.

그리고 딸에게 사표가 반려된 것은 하나님 말씀에 순종해서 결혼식 일자가 확정되기 전에 믿음으로 사표를 냈기 때문이며, 만일 결혼식이 결정된 다음에 냈다면 아마 그 사표는 반려되지 않았을 것이라는 내용의 이메일을 보냈다.

딸의 결혼식은 9월 22일로 확정되었다. 아내는 우리 집안의 개혼(開婚)인데다 결혼을 준비하려면 돈이 필요하다고 했다.

"나에게 말하지 말고 알아서 해봐요."

말은 그렇게 했지만 지난 30여 년 동안 수많은 결혼식에 다니면서 내가 낸 축의금만 받아도 결혼식 비용으로는 충분할 것이라고 생각했다. 그런데 기도하는 중에 하나님께서는 축의금은 물론 청첩장도 보내지 말라고 하시는 것이 아닌가. 나는 무척 당황스러웠다. 무엇보다 아내에게 미안했다. 하지만 하나님께 순종할 수밖에 없었다.

왜냐하면 딸의 결혼은 철저하게 하나님께서 계획하시고 인도하신다는 확신이 있었기 때문이다. 그동안 내가 뿌린 축의금만 거두어도 상당할 것이지만, 하나님의 축복은 더 큰 계획 가운데 있음을 믿었다. 그러나 혹 지인들이 알게 되면 나의 의지와는 상관없이 축의금을 받아야 하는 상황이 생길 수도 있었기에 아내 혼자 한국에 가서 조용히 준비할 수밖에 없었다.

철저하신 하나님의 인도

8월 중순께 한국에 가 있는 아내에게 전화가 왔다. 함을 받아야 하니 9월 16일까지는 한국에 들어와야 하지 않겠느냐는 것이었다. 나는 그렇게 하겠다고 대답하고 하나님께 여쭈었다.

'제가 9월 16일까지 서울에 들어가도 되겠습니까?'

'안 된다.'

그래서 17일, 18일, 19일을 각각 놓고 기도했으나 하나님께서는 다 안 된다고 하시며 20일에 들어가라고 하셨다. 나는 서울에 있는 아내에게 이런 내용을 알렸다. 아내는 결혼 준비를 혼자 어떻게 다 하냐며 화를 냈다. 하지만 이번에도 역시 나는 하나님의 말씀에 순종할 수밖에 없었다.

그런데 얼마 후인 9월 8일에 제4차 6자회담(북한 핵문제를 해결 방안을 논의하기 위해 2003년부터 한국, 북한, 미국, 중국, 러시아, 일본 6개국이 참여하는 회담)이 9월 13일부터 베이징에서 속개(續開)된다는 중국 외교부의 발표가 있었다. 그리고 서울 본부에서 송민순 차관보(현재 민주당 국회의원)가 이끄는 6자회담 대표단이 13일부터 중국을 방문할 예정이니 대사관에서 필요한 준비를 하라는 지시가 내려왔다.

나는 그때야 내가 왜 20일 전에 베이징을 떠날 수 없었는지 이해가 되었다. 그리고 하나님께서 말씀하신 대로 내가 9월 20일에 베이징을 떠난다는 것은 회담이 19일에는 끝난다는 것을 의미한다는 생각이 들었다.

대표단이 베이징에 도착하여 회담이 속개되었다. 하지만 회담은 난

항을 거듭했다. 중국 측은 당초 18일에 폐막식을 하려고 노력했지만, 결국 19로 연기되었다. 나는 이미 그렇게 될 것을 짐작하고 있었으므로 송 차관보에게도 여유를 가지라고 말했다. 19일 아침에 개최 예정이던 폐회식이 계속 지연되었다. 그리고 12시가 조금 넘어 그 유명한 '9·19 공동성명'(한반도 비핵화, 미국의 대북 불가침 의사 확인 등을 내용으로 하는 성명)을 채택하고 회담이 종료되었다.

이튿날 나는 송 차관보와 같은 비행기의 옆자리에 앉아 서울로 들어왔다. 그날 저녁 함을 받고, 22일 오후에 딸의 결혼식에 참석했다. 청첩장도 돌리지 않고 아무에게도 알리지 않았기 때문에 우리 쪽에서는 친척과 몇몇 친지들만 참석했고, 외교통상부 직원들은 내가 송민순 차관보와 함께 귀국한 것을 알았기 때문인지 몇 명이 참석했다.

결혼식을 마친 다음 날 아침 첫 비행기로 나는 베이징으로 돌아왔다. 비서관을 제외한 다른 대사관 직원들은 전혀 몰랐기 때문에 딸이 결혼한 사실은 얼마가 지난 다음에야 알려졌다.

딸의 결혼은 처음부터 끝까지 하나님의 계획과 축복 속에서 이루어졌다. 한 치의 오차도 없으신 하나님께서는 국가를 위한 중요한 직무에도 충실할 수 있게 해주셨고 딸의 결혼식도 무사히 마칠 수 있게 해주셨다. 할렐루야!

그리고 더욱 감사한 것은 결혼식을 계기로 아내와 딸의 믿음이 상상할 수 없을 정도로 깊어졌다는 것이다. 나는 지금도 딸의 결혼을 생각하면 그저 하나님께 감사할 따름이다.

그 아이가 네 며느리다

나는 믿음생활을 늦게 시작한 것이 늘 아쉬움이었기에 내 아들들은 하나님 보시기에 나보다 더 합당한 자로 서기를 바랐다. 그리고 대부분의 아버지들이 그렇듯 나도 장남에 대해서는 더 큰 기대를 가지고 있었다. 나는 아내가 나의 어머니로부터 받은 우리 집안의 기도와 믿음의 줄을 맏며느리가 이어받기를 소망했다. 그래서 큰아들을 위해 기도할 때마다 돈이나 권력이나 명예를 가진 자가 아니라, 오직 하나님을 경외하고 의지하며 하나님께 기도하는 자를 아들의 배필로 달라고 오랫동안 간구했다.

2005년 6월 어느 날 퇴근하고 돌아왔는데 아내에게서 큰아들이 진지하게 여자를 사귀고 있는 것 같다는 말을 들었다. 나는 아들이 진지하게 생각한다는 그 여자가 어떤 사람인지 궁금했다. 그때까지는 만딸이 결혼 전이라 큰아들이 누구를 만난다고 해도 신경도 쓰지 않고 그러려니 하고 넘겼는데, 그날은 이상하게도 그 이야기를 듣는 순간 빨리 기도해보고 싶은 마음이 일었다. 나는 아내에게 아무런 내색도 하지 않고, 혼자 방에 들어가 무릎을 꿇고 하나님께 기도했다.

'하나님, 큰아들이 요즘 여자를 사귄다고 합니다. 그 여자가 제 아들에게 합당한 아이입니까?'

'그 아이가 네 며느리다.'

나는 깜짝 놀라 기도를 하다 말고 벌떡 일어섰다. 그리고 다시 무릎을 꿇고 하나님께 감사했다.

'하나님, 감사합니다. 저희들이 원하던 훌륭한 여자를 아들의 배필

로 허락해주셔서 감사합니다.'

다음 날 아침 나는 혹시나 해서 다시 기도를 해보았다. 하나님께서는 동일하게 말씀하셨다. 그렇게 아침저녁으로 매일 하나님께 기도하며 같은 응답을 받은 지 3주쯤 되었을 때, 나는 아내에게 기도 결과를 말해주었다. 그리고 아무래도 그 아가씨를 한번 봐야 할 것 같아서 아들에게 연락을 했다.

"그쪽 부모님께 우리가 아가씨를 한번 만나보고 싶으니 베이징으로 보내주실 수 있는지 여쭤보아라."

며칠 후 아들이 허락을 받았다고 하면서 7월 말에 베이징에 오겠다고 했다. 나는 그 둘의 베이징 방문을 위해 계속 기도했다. 그리고 7월 22일에 아들이 아가씨를 데리고 집으로 왔다. 나는 그 아가씨에게 내 옆에 앉으라 하고 말했다.

"오늘 이렇게 만나 반가워요. 그런데 아가씨가 내 며느리인가?"

"예?"

그 아가씨는 너무 놀라 말을 잇지 못했다. 내가 말했다.

"내가 기도했더니, 하나님께서 아가씨가 내 며느리라고 하셨어. 그래서 둘이 서로 좋고, 아가씨 부모님이 동의하시면 우리도 당연히 허락할 거예요."

그 아가씨는 무척 감동을 받은 것 같았다. 내가 다시 물었다.

"기도하지요? 기도하면서 간구하는 것이 있어요?"

"네, 방언이 하고 싶어서 사모하고 있습니다."

"그럼, 우리 오늘 하루 정도 준비하고 내일 기도하지."

기네스북에 올라갈 며느리

다음 날 저녁 나와 아내, 아들과 예비 며느리 이렇게 넷이 방에 앉았다. 그리고 예비 며느리의 방언을 위해서 함께 기도를 시작했다. 놀랍게도 불과 수 분만에 방언이 터져나왔다. 예비 며느리는 기도를 하면서 계속 울었다.

나는 웃으며 말했다.

"아가씨는 아마 기네스북에 기록될 거야. 시집도 가기 전에 시아버지 될 사람과 기도해서 방언을 받았으니까."

그리고 내가 물었다.

"그런데 아버님은 지금 어떤 일을 하시지? 형제는?"

나는 그때까지 그 아가씨에 관한 그 무엇도 아들이나 아내한테 물어보지 않았다. 내가 아내로부터 아들과 교제한다는 말을 들은 지 한 시간도 안 되어 기도를 했고, 하나님께서 내 며느리라고 하셨기 때문에 나로서는 부모가 어떤 사람이고 무엇을 하는지, 가족이 몇 명인지를 물어볼 필요도, 관심도 없었다.

기도가 끝난 다음, 예비 며느리를 내 서재로 데리고 갔다. 그리고 지난 한 달 동안 내가 기도하던 중에 기록했던 메모를 보여주었다. 거기에는 6월 25일 밤부터 그날 아침까지 하루에 두 번씩 하나님께 기도하면서, 우리가 원하던 며느리를 주신 것에 대하여 감사하는 내용이 기록되어 있었다. 나는 예비 며느리에게 말했다.

"나는 네가 누구인지, 네 집안이 어떤지, 그리고 네 아버지가 어떤 분인지 모르고, 또 알려고 하지도 않고 너를 내 며느리로 결정했다. 왜냐하면 하나님께서 너를 내 며느리라고 하셨기 때문이다. 나는 왜 하나님께서 너를 내 며느리라고 하셨는지 지금은 모르겠다. 그러나 확실한 것은 이제 네가 결혼을 하면, 너는 네 남편을 하나님의 사람으로 변화시켜야 하고, 맏며느리로서 우리 집안을 오직 하나님을 경외하고, 하나님만을 의지하며, 하나님께 기도하는 집안이 되도록 해야 한다. 그래서 하나님께서 너를 우리 집안의 맏며느리로 주셨다고 믿는다. 나는 너에게 아무것도 원하지 않는다. 오직 믿음에 바로 서고, 사랑을 베푸는 자로 살아서 세상 사람들로부터 하나님의 사람의 집안이라는 말을 듣도록 해주기 바란다."

예비 며느리는 눈물을 흘리면서 그렇게 하겠다고 대답했다.

아무 것도 염려하지 말고 다만 모든 일에 기도와 간구로, 너희
구할 것을 감사함으로 하나님께 아뢰라 빌 4:6

가장 아름다운 결혼식

2006년 7월에 두 아이는 결혼을 했다. 결혼식을 준비하는 과정에서 아내는 딸아이 때와 마찬가지로 돈 걱정을 했다.

"여보, 이번에는 축의금에 관련된 기도는 하지 마세요."

나는 아무 대꾸도 하지 않고 내 방에 가서 기도를 했다.

'하나님, 들으셨지요? 아내가 하나님께 여쭙지 말라고 했습니다. 그만큼 저희가 힘듭니다. 이번에는 축의금을 받도록 허락해주십시오.'

'안 된다.'

'그러면 몇몇 친한 사람들에게라도 청첩장을 보내도록 해주십시오.'

'안 된다.'

나는 기도를 마치고 아내에게 말했다.

"여보, 미안해. 안 되겠어. 이번에도 축의금 받지 말고 청첩장도 돌리지 말라고 하시네. 당신이 힘들겠지만 어떻게든 알아서 해봐요."

나는 결혼을 준비하는 아내에게 아무런 경제적 도움도 주지 못해 너무 미안했다. 그러면서 '왜 성령님께서 나로 하여금 축의금을 못 받게 하셨을까'를 생각해보았다. 당시에 중국에 진출한 한국 기업의 수는 4만 개가 넘었다. 그 기업의 대표들 중 일부라도 대사의 아들이 결혼한다고 축의금 봉투를 들고 온다면 아마도 한참을 기다려야 축의금을 낼 수 있었을 것이다. 그것은 하나님을 믿는 사람이 해서는 안 될 일이었다.

아내는 또다시 혼자 서울에 가서 아무도 모르게 결혼식을 준비했다. 나는 결혼식 하루 전날 비서관 외에는 아무에게도 이야기하지 않고 혼자 서울에 들어갔다. 다음 날 저녁에 교회에서 조용히 결혼식을 치렀다. 우리 쪽 하객은 아들의 친구와 직장 동료, 집안 식구와 직계가족뿐이었다. 800명이 들어가는 식장에 양가 합쳐 200여 명의 하객밖에 없으니 보기에도 너무 썰렁했다.

그러나 결혼예배는 경건하고 아름답게 진행되었다. 두 아이들이 서로의 깊은 사랑을 고백하는 편지를 읽고, 신랑이 직접 신부에게 사랑을 고백하는 아름다운 노래를 부를 때 나는 얼마나 행복하고 감사했는지 모른다. 비록 모든 것이 부족하고 빈약했지만, 오직 하나님께 순종하여 하나님께서 주시는 축복으로 가득 찬 결혼식은 이 세상 어느 호화스러운 결혼식보다 아름다웠고 자랑스러웠다. 나는 속으로 눈물을 흘리면서 하나님께 감사했다.

하지만 큰아들에게는 여전히 미안한 마음이 있었다. 내가 30여 년간 공직 생활을 했으니 축의금이라도 받았으면 신혼살림에 좀 더 여유가 있었을 텐데, 그렇게 못 해주는 것이 미안했다. 고위 관직에 있는 나 때문에 아들에게 충분하게 해주지 못한 것 같았다. 그래서 하나님께서 대신 몇 배로 갚아주시기를 축복하며 기도했다.

그 후에 하나님께서는 기도대로 아들에게 큰 복을 허락하셨다. 다니던 곳보다 훨씬 좋은 직장으로 옮겨주셔서 실력도 인정받고, 연봉도 더 받게 해주셨다. 더욱 귀한 축복은 며느리를 통해 아들이 놀랍게 변화되기 시작한 것이었다. 나는 하나님께서 우리가 그렇게 간구하던 며느리를 주신 것을 감사하게 생각한다. 그리고 며느리가 우리 집안의 믿음의 유산을 이어받아 다음 세대로 전해주기를 간절히 소망하고 있다.

바나나 먹여도 되겠습니까?

믿음이 없었던 시절, 나는 아이들을 키울 때 내 인간적인 욕심으로 키웠다. 그러나 믿음을 가지게 되면서 부모가 하나님의 청지기적 양육자로서 자녀를 양육해야지 부모 욕심으로 키울 수 없다는 사실을 깨닫게 되었다. 그래서 내 손자와 손녀를 위해서는 아이가 태어나기 전부터 하나님의 복에 감사하며 철저하게 하나님께서 그 아이를 주관하여 양육하시기를 기도해왔다. 나아가 아이들을 선물로 주신 하나님의 뜻을 깨달으려고 하나님의 음성에 귀를 기울였다.

2005년 9월에 딸과 사위가 결혼식을 마치고 신혼여행을 떠난 후, 나는 그 둘을 위해 기도했다. 그런데 이상하게도 사위와 딸이 아닌 그들이 낳을 아이를 위한 기도가 나왔다.

'이상하네! 하나님께서 웬 아이 기도를 이렇게 시키실까?'

나는 1년 내내 태어날 아이 기도만 했다. 그리고 딸에게 말했다.

"야! 이상하다. 왜 기도하면 너희 둘 기도는 안 되고 너희 아이 기도만 나오니?"

그로부터 1년 후 외손녀가 태어났다. 2007년 1월 중순께 딸을 위해 기도하는 중에 하나님께서 말씀하셨다.

'이제 네 아이(딸의 아이)에게 일이 생길 것이니, 너는 항상 관심을 갖고 볼지어다. 너는 네 아이에게 아무 일도 생기지 않도록 열심히 기도하라. 그리하면 다 넘어갈 것이라.'

내가 서울에 있는 딸에게 이야기를 했더니 딸은 아무 일도 없다고 했다. 그런데 얼마 후 외손녀에게 아토피 증상이 나타났다. 딸은 아이를 데리고 계속 병원에 다녔다. 그러나 쉽게 치료가 되지 않았다.

2007년 12월, 서울에 있는 딸이 이메일로 '생우유, 계란, 브로콜리, 두부, 딸기' 중 어느 것을 언제부터 먹일 수 있는지를 기도해달라고 했다. 그리고 고기를 전혀 먹이지 않으면 단백질 공급이 안 되니 소고

기를 먹이고 싶다고 하면서, 언제부터 먹이면 되는지도 기도해달라고
했다.

　나는 딸이 보낸 리스트를 앞에 두고 기도했다.

　'하나님, 아이에게 생우유를 먹여도 될까요?'

　'안 된다.'

　'계란은 먹여도 될까요?'

　'안 된다.'

　'브로콜리는 먹여도 될까요?'

　"된다."

　'시금치는 먹여도 될까요?'

　'된다.'

　'두부는 먹여도 될까요?'

　'된다.'

　'딸기는 먹여도 될까요?'

　'된다.'

　'소고기는 언제부터 먹이면 됩니까. 금년 12월부터 먹일까요?'

　'안 된다.'

　'내년 1월부터 먹일까요?'

　'안 된다.'

　'내년 2월부터 먹일까요?'

　'안 된다.'

　'내년 3월부터 먹일까요?'

'그렇게 해라.'

다음 날 딸에게 이메일을 보냈다.

"생우유와 계란은 먹이면 안 되고, 나머지는 다 가능함. 그리고 소고기는 내년 3월부터 먹일 것."

딸은 그것을 참고해서 아이의 식단을 조절했다. 그러면서 손녀는 조금씩 좋아졌다. 그런 중에 딸 가족이 미국으로 가게 되었다. 손녀의 아토피는 좋아지긴 했지만 완치된 것은 아니었다.

2008년 가을 당시 나는 통일부 장관으로 일하고 있었는데 하루는 밤 11시가 다 되어 집에 돌아오니, 아내가 현관 앞에서 종이 한 장을 들고 서 있었다.

"그게 뭐예요?"

"딸이 이메일을 보냈는데, 과일과 채소 리스트래요. 아이에게 무엇을 먹여야 할지 기도해달래요."

딸이 외손녀를 데리고 미국의 병원에 갔더니 미국 의사가 과일과 채소를 먹일 때도 조심하라고 했다는 것이다. 어떤 과일과 채소를 조심해야 하는지는 아이마다 다르니 정확히 말할 수는 없고, 먹여봐서 괜찮으면 먹이고, 반응이 나타나면 먹이지 말라고 했다는 것이었다. 그래서 딸은 그즈음 뉴욕에서 먹일 수 있는 과일과 채소 리스트를 다 적어서 보낸 것이었다.

"무슨 소리야! 나보고 그 많은 걸 어떻게 기도하라는 거야!"

그렇게 말하고 들어와 샤워를 하는데 하나님의 음성이 느껴졌다.

'그래서 내가 너한테 태어날 외손녀를 위해 기도하라고 했잖니.'

나는 어쩔 수 없이 아내에게 리스트를 가져오라고 했다. 그리고 기도를 시작했다.

'하나님, 딸이 아이에게 먹일 과일과 채소 리스트를 보내왔습니다. 죄송하지만 여쭤보겠습니다. 바나나 먹여도 되겠습니까? 망고 먹여도 되겠습니까?'

나는 리스트에 있는 모든 과일과 채소를 ○, ×로 표시해서 딸에게 보냈다. 순종하는 딸은 그대로 외손녀에게 먹였고, 그 뒤로 손녀의 아토피는 거의 완치가 되었다.

이것은 믿지 않는 사람들이 들으면 우스운 이야기일 것이다. 그러나 나는 사랑으로 하는 기도가 쌓이면 하나님께서는 아무리 사소한 질문이라도 대답해주시고, 이를 통해 우리로 하여금 그분의 살아계심과 은혜를 더욱 깊이 체험토록 하게 하신다고 믿는다.

믿음의 기도를 쌓으라

기도하는 시간에 마음에 기쁨이 넘치고, 기도하는 동안이나 그 후 마음에 부담이 없다면 그 기도는 응답을 받는 기도일 가능성이 크다. 자신의 유익과 정욕을 위한 기도나 하나님 뜻에 맞지 않는 기도는 하고나서도 '이게 될까?' 하는 생각이 든다. 또한 마음에 죄가 있으면 응답을 받을 수 없다.

이루어지는 기도는 기도할 때 의심이 없다. 반드시 될 것이라는 확신이 든다. 그러면 계속 기도가 된다. 의심이 있으면 기도가 안 된다.

몇십 번 하다가 '아! 이거 될까?' 하면 기도가 안 나온다. 응답받는 기도는 믿음의 기도이다. 받을 줄 알고 기도하면 몇 년이라도 기도할 수 있다.

> 내가 진실로 너희에게 이르노니 누구든지 이 산더러 들리어 바다에 던져지라 하며 그 말하는 것이 이루어질 줄 믿고 마음에 의심하지 아니하면 그대로 되리라 막 11:23

　2008년 11월에 나는 세계적으로 유명한 한 중보기도 사역자와 함께 저녁을 먹을 기회가 있었다. 그때 그녀가 나에게 물었다.
　"어머님이 살아계십니까?"
　"돌아가셨습니다."
　"언제 돌아가셨습니까?"
　"15년 전에 돌아가셨습니다."
　그녀는 어머니가 크리스천이셨는지, 기도를 많이 하셨는지 어느 정도로 많이 기도하셨는지를 물었다. 그러더니 "어머님께 감사하십니까?"라고 물었다. 나는 매일은 아니지만 어머니 기일(忌日)이나 생각이 날 때마다 감사하고 있다고 대답했다. 그러자 그녀가 이렇게 말했다.
　"매일 어머니께 감사하십시오. 당신의 어머니께서 당신을 위해서 얼마나 기도를 많이 했는지 지난 15년 동안 하나님께서 그 기도에 다 응답하셨습니다. 그런데 중요한 것은 앞으로도 응답받을 기도가 많이 남아 있다는 것입니다."

15년 전에 돌아가신 어머께서 나를 위해 한 기도가 쌓여서 내가 대통령 수석비서관도 되고, 주중대사를 6년 반이나 하고, 통일부 장관도 된 것이다. 기도의 용사셨던 내 어머니는 자신이 죽고 난 뒤 15년, 20년, 30년이 지나도 자신이 했던 기도가 응답받을 것이라는 확신을 갖고 계속 기도하셨던 것이다. 믿음의 기도는 그렇게 중요하다. 믿음의 기도는 낙담하지 않는다. 우리도 자녀와 자손을 위하여 이런 기도를 심어야 한다.

성령을 따라 사는 삶

죄인인 우리가 예수님을 구원자(그리스도)로 받아들이면 그리스도의
영이신 성령(행 16:6,7)이 우리 안에 오신다. 그 성령이 내주하시면 그리
스도의 사람이 된다. 내 안에 계신 성령의 활동을 통해 하나님의 역사
하심을 보고 그분이 살아계심을 알게 되는 것이다. 우리가 영적인 기
도를 하면 하나님께서 성령을 통하여 역사하신다.

내가 이르노니 너희는 성령을 따라 행하라 그리하면 육체의 욕
심을 이루지 아니하리라 갈 5:16

내 안에 계신 성령이 움직이시기 시작하면, 나의 계획이 필요없다. 성령님께서 하라는 대로 하면 된다. 성령을 따라 사는 사람의 삶이 모험인 이유가 바로 여기 있다. 다른 사람들은 모험이 위험하다고 생각할지 모르지만, 성령을 따라 사는 사람은 이미 그 답을 알고 있기에, 어떤 시험도 이길 수 있고, 어떤 공격도 피할 수 있고, 또 어떠한 비난도 이길 수 있다.

만일 너희 속에 하나님의 영이 거하시면 너희가 육신에 있지 아니하고 영에 있나니 누구든지 그리스도의 영이 없으면 그리스도의 사람이 아니라 롬 8:9

죄를 고백하고 정직하라

성령의 사람은 항상 담대하다. 답을 알고 있기 때문이다. 그래서 그들에게는 어떤 경우에도 항상 기쁨과 평강이 넘친다. 진리의 영이신 성령께서 우리를 자유케 하고, 우리에게 소망을 주시기 때문이다. 또한 성령의 사람은 누구든지 사랑할 수 있다. 사랑이신 하나님이 우리 마음에 사랑을 부어주시기 때문이다. 결국 성령의 사람은 어떤 일이 일어나도 걱정하지 않고 감사하며, 항상 담대하고, 누구든지 용서하고 사랑한다.

이러한 성령의 사람이 되려면 어떻게 해야 하는가? 지금까지 신앙생활을 하면서 내 나름대로 다음과 같은 결론을 얻었다.

첫째는 회개와 정직한 마음이다. 기도하는 자의 마음은 늘 깨끗해야 한다. 마음이 깨끗하다는 것은 죄를 멀리해야 한다는 것이다.

> 마음이 청결한 자는 복이 있나니 그들이 하나님을 볼 것임이요
> 마 5:8

죄를 하나도 안 지을 수는 없지만 최대한 죄를 짓지 않으려고 노력해야 한다. 만약 죄를 짓더라도 기도할 때 고백하고 회개해야 한다. 회개와 고백을 피해서는 안 된다. 우리의 고백을 통해서 죄를 용서해주시려고 십자가에서 피 흘려 돌아가신 분이 예수님이시다. 그런데 죄고백이 두려워 기도하지 않는다면 하나님과 멀어지고 더 이상 기도할 수 없게 된다. 기도하지 못하게 하려는 사단의 속임수에 빠져서는 안 된다.

> 너희는 너희 아비 마귀에게서 났으니 너희 아비의 욕심대로 너
> 희도 행하고자 하느니라 그는 처음부터 살인한 자요 진리가 그
> 속에 없으므로 진리에 서지 못하고 거짓을 말할 때마다 제 것으
> 로 말하나니 이는 그가 거짓말쟁이요 거짓의 아비가 되었음이라
> 요 8:44

부정직한 사람은 영의 기도를 할 수 없다. 거짓말을 하면서 어떻게 하나님의 마음을 아는 영의 기도를 할 수 있단 말인가. 이런 사람에게

는 성령께서 움직이지 않는다. 그런데 왜 사람들은 정직하지 못한 것일까. 사람들이 정직하지 못한 이유는 하나님이 살아계시는 걸 모르거나 혹은 하나님이 살아계시는 것은 알지만 마음으로 확신할 수 없기 때문에 거짓으로 자신을 속이는 것이다.

'그래, 살아계시긴 하겠지. 그런데 설마 내가 하는 것을 다 보실까?'

물론 하나님은 다 보신다. 심지어 사람의 마음까지도 훤히 들여다보신다.

깊이 사랑하라

둘째는 사랑이다. 하나님은 사랑이시다. 그분은 사랑할 때 일하신다. 마음에 미움이 있으면 기도가 안 된다. 기도하기가 싫다. 그러나 하나님의 사랑을 우리 마음에 부어주시는 성령님이 미운 사람을 위해서도 기도할 수 있도록 도우신다. 그래서 기도하는 사람에게 사랑은 정말 중요하다. 사랑하는 사람이 기도할 수 있고, 기도하면 누구든지 사랑할 수 있다. 결국 사랑을 잘하는 사람이 기도를 잘하는 사람이고, 기도를 잘하는 사람이 사람을 사랑할 수 있다.

내가 사람의 방언과 천사의 말을 할지라도 사랑이 없으면 소리나는 구리와 울리는 꽹과리가 되고 내가 예언하는 능력이 있어 모든 비밀과 모든 지식을 알고 또 산을 옮길 만한 모든 믿음이 있을지라도 사랑이 없으면 내가 아무것도 아니요 내가 내게 있

는 모든 것으로 구제하고 또 내 몸을 불사르게 내줄지라도 사랑
이 없으면 내게 아무 유익이 없느니라 고전 13:1-3

아무리 믿음이 깊다고 해도 사랑이 없으면 능력이 없다. 중보기도
의 기본은 사랑이다. 사랑이 넘쳐야만 다른 사람을 위해서 기도할
수 있다. 내 욕심이 아닌 타인을 위한 눈물의 기도를 하나님은 기뻐하
신다. 내 이웃을 내 몸과 같이 사랑할 수 있다면 매일 300명을 위해 기
도할 수 있고 15년 동안 만 번도 기도할 수 있다. 누군가를 위해 사랑
과 눈물로 기도하는데 하나님이 들어주지 않으실 리가 없다. 당신이
어떤 사람을 위해 만 번을 사랑으로 기도했는데, 그 기도를 거부할 수
있는 사람이 세상에 어디 있겠는가?

사람을 사랑하되 깊이 사랑해야 하며, 예수님이 말씀하셨듯이 일흔
번씩 일곱 번이라도 용서해야 한다. 사랑하는 사람을 위해서라면 만
번이라도 기도해야 한다. 눈물로 기도하지 않고 누구를 설득시키려고
하지 말라. 돈이나 선물로 설득할 수 있다고 생각하는 것은 혼적(魂的)
인 생각이다. 뒤에서 남을 욕하고 시기하고 질투하는 크리스천이 새
벽기도를 40일, 아니 400일을 한들 무슨 소용이 있겠는가? 자기 자랑
만 될 뿐이다.

누가 뭐래도 우리는 사랑해야 한다. 누가 나를 욕하고 미워해도 사
랑해야 한다. 내 경우에는 나를 욕한 사람을 위해서 용서하고 축복하
는 기도를 하면 며칠만 기도해도 더 이상 기도가 안 나온다. 성령께서
그 정도면 됐으니 더 이상 하지 말라고 하신다. 내가 사랑으로 승리했

기 때문이다. 사람을 진실로 사랑하는 것보다 더 중요한 것은 없다. 누구든지 나를 욕하고 비방해도 내가 오히려 그를 축복하고 사랑하면 사단의 모든 궤계를 이길 수 있다.

내가 최장수 주중대사가 될 수 있었던 이유도 바로 중국과 중국인을 사랑한 데 있었다고 생각한다. 사랑은 능력이고, 사랑의 기도는 기적을 일으킨다.

하나님 한 분께 집중하라

셋째는 하나님의 뜻에 합당한 기도를 하는 것이다. 나의 이익이 아닌 하나님의 뜻을 기도하면 하나님께서 그 기도를 들으신다.

'우리 아이 좋은 대학 보내주세요.'

'우리 집, 좀 더 넓은 아파트로 이사하게 해주세요.'

'우리 남편, 승진시켜주세요.'

모든 사람들이 동시에 이렇게 기도한다면 하나님이 누구의 기도를 들어주셔야 할까? 우리가 큰 아파트를 산다든지, 좋은 대학에 아이를 보내기 위해서 기도한다면 천 번은커녕 백 번쯤 하다가 기도를 중단하게 될 것이다. 자기 자신의 유익을 위한 기도는 오래 할 수 없다. 그러나 나라와 민족과 이웃을 위해서라면 수만 번이라도 기도할 수 있다. 자신의 이익, 육신의 정욕, 개인적인 목표 달성을 위한 기도는 응답받기 어렵다.

내 육신의 생각을 끊고 하나님 한 분에 집중해야 한다. 영(靈)의 기도를 잘하려면 생활이 좀 단순해질 필요가 있다. 생활만 좀 단조롭게 바꿔도 잡생각이 줄어들고 기도가 훨씬 잘된다. 매일 혼적인 생각만 하면서 무릎을 꿇자마자 깊은 영의 기도를 하려고 하는 것은 과욕이다.

> 육신의 생각은 하나님과 원수가 되나니 이는 하나님의 법에 굴복하지 아니할 뿐 아니라 할 수도 없음이라 육신에 있는 자들은 하나님을 기쁘시게 할 수 없느니라 롬 8:7,8

나는 기도할 때 딴생각을 하지 않는다. 일과 기도만 하니까 그렇게 할 수 있었다. 내가 드라마 보고, 영화 보고, 스포츠 중계를 본다면 하나님께 집중하기가 어려웠을 것이다. 그러나 내 기억 속에는 그런 내용이 없다. 나는 오직 나의 본연의 일과 공부, 그리고 기도밖에 모른다. 나머지는 잘 모른다.

하나님과 인격적으로 만나라

넷째는 하나님을 인격적으로 만나야 한다. 기도를 이용해서 하나님께 뭘 받아내야겠다는 생각을 버리고 인격이신 하나님과 늘 대화하라. 그래야 하나님의 응답을 들을 수 있다. 하나님은 나를 사랑하시고 나를 늘 기다리신다는 것을 기억하라. 평상시 자기 마음대로, 자기 정욕대로 살다가 급한 일이 생기면 이렇게 기도하는 사람들이 있다.

'하나님! 이것 좀 도와주십시오. 제가 정말 급합니다!'

이런 기도가 응답될 때도 있겠지만 이것은 하나님이 궁극적으로 원하시는 것이 아니다. 하나님이 늘 내 안에 계시는데 어떻게 그분을 급할 때만 찾는가? 어떤 사람은 특정한 일에 하나님의 응답을 받으려고 작정하고 기도원에 들어가 기도를 한다.

'하나님 제가 그 사업을 해야 됩니까, 말아야 됩니까?'

자기가 필요한 것만 여쭤보는 사람은 이렇게 10시간을 기도해도 하나님의 대답을 듣기가 요원하다. 늘 하나님과 동행하면서 '하나님 이번에 이 사업을 해야 됩니까?' 라고 묻는 것과는 다르다. 자신이 포기할 것은 안 하고, 말씀에 순종도 안 하면서 내가 원하는 것만 그때 그때 받아내겠다는 것은 하나님을 이용하는 것이다. 이런 사람은 대부분 기도도 안 되고 졸리기만 할 뿐이다.

'이거 빨리 응답받아야 되는데….'

마음만 급하다.

'대체 뭐라 그러시는 거야?'

아무리 들으려고 해도 알 수가 없다.

성령의 말씀을 듣는 것은 은사도 아니고 능력도 아니다. 성령님이 우리 안에 사시면 그냥 들리는 것이다. 특이한 걸로 생각하면 안 된다. 흔히 많은 사람들이 능력을 받아 예언하고 싶어하지만 진실로 사람을 사랑하고 하나님과 인격적인 대화를 하는 것이 제일 큰 능력이다.

성령의 사람의 사명

성령의 사람들에게는 사명이 있다. 우리는 나 자신뿐만 아니라 사회와 나라를 변화시키는 데 앞장서야 한다. 단순히 일대일 전도만으로는 현재의 가공(可恐)할 만한 죄의 흐름에 대항할 수 없다. 물론 한 영혼 한 영혼이 다 귀하다. 그러나 한 명 전도해서 수년 지나면 도로 죄 짓고, 회개했다가 또 옛날로 돌아가는 식으로는 안 된다. 사회 전체의 변화가 일어나야 한다. 성령의 사람들이 사회의 각 영역으로 나아가 이 나라와 이 민족을 근원적으로 변화시켜야 한다.

해일과 같은 죄의 파도에 빠진 세상을 향해서 담대하게 하나님의 진리를 선포해야 한다. 오직 하나님의 영으로 인도함을 받는 성령의 사람들만이 이 일을 감당할 수 있다. 내가 생각하는 성령의 사람들의 사명을 정리해보았다.

우선 사회에 정직과 회개를 강조해야 한다. 지금 우리 사회는 거짓과 불법이 만연해 있다. 크리스천들도 하나님을 믿는다고 하면서 계속 불법을 자행한다. 교회에서는 '그리스도 안에서의 승리'가 아닌 '세상에서의 성공'을 위한 자기계발적인 메시지가 넘치고 있다.

이럴 때 교회가 회개하지 않는 죄인을 향한 십자가의 메시지를 선포해야 하지 않겠는가? 죄를 용서하시는 하나님의 사랑과 죄의 삯은 사망이라는 하나님의 공의를 깊이 알도록 살아계신 하나님의 말씀을 전해야 하지 않겠는가?

또한 자신의 이익이 아닌 하나님의 뜻을 구해야 한다. 많은 크리스천들이 자신의 성공과 이익만을 구하고 있다. 또한 많은 교회들이 하나님의 뜻이 아닌 사람의 영광만을 바라고 있다. 예수님께서 제일 싫어하시는 것이 교회를 비즈니스 장소로 만드는 것인데 오늘날 교회는 비즈니스 장소처럼 보인다. 이에 대해 과감하게 이야기할 사람이 필요하다.

마지막으로 성령의 사람들은 남북통일을 위해 기도해야 한다. 현재 분명 남북관계는 좋지 않다. 그러나 우리는 이미 통일의 길로 진행되고 있음을 인정하고 하나님의 방법으로 통일되기를 기도해야 한다. 우리 민족의 죄를 회개하고 눈물로 기도하는 사람들이 있어야 한다. 우리에게는 말로만이 아니라 기도로 통일을 대비하여야 할 사명이 있다. 인류 역사의 이 시점에 유일하게 분단된 땅에서 살아가는 이 나라의 크리스천들은 성령님을 통해 드리는 탄식어린 눈물의 기도를 기다리시는 하나님 아버지의 마음을 알아야 한다.

앞서 말했듯 성령의 사람은 단순히 한 사람의 영혼 구원만이 아니라 사회를 변화시켜야 할 임무가 있다. 우리는 하나님께서 우리를 늘 보고 계시다는 것을 기억해야 한다. 때문에 세상을 바라보지 말고 살아계시는 하나님을 바라보며 하나님나라가 이 땅에 임하도록 주(主)의 길을 예비하여야 한다. 그리고 지금 이 세대만이 아니라 우리의 후손들을 위해서 성령의 사람답게 용감하게 외치고 정직하게 행동해야 한다.

감사의 말

돌이켜보면 모든 것이 감사할 따름이다. 나의 나된 것은 모두 하나님의 은혜임을 고백한다. 나를 위해 이 땅에 오셔서 생명을 내어주신 하나님의 아들 예수님께 감사드린다. "귀 있는 자는 성령이 교회들에게 하시는 말씀을 들을지어다"(계 2:29)라는 말씀대로, 예수님의 이름으로 오신 성령께서 거룩한 하나님의 일에 동역하게 하셨다. 말씀하시는 것을 들을 수 있는 귀를 열어주셨고, 순종할 수 있는 믿음과 용기를 주셨다. 이 모든 것이 하나님의 은혜였기에 감사와 찬양과 영광을 하나님께 올려드린다.

또한 수많은 분들의 기도와 사랑이 오늘의 나를 있게 해주었음을 기억하고 감사한다. 특히 나의 믿음의 뿌리가 되신 어머니 고(故) 정갑순 권사님께 감사드린다. 마흔두 살에 낳은 늦둥이인 나를 위해 새벽마다 기도의 제단을 쌓으신 어머니! 그 어머니 생전에 나는 예수를 떠나 있었다. 그런데도 어머니는 항상 말씀하셨다.

"나는 네가 언젠가 다시 예수를 믿으면 누구보다도 크게 믿을 것을 안다. 그래서 나는 너에 대해서 아무 걱정을 안 한다."

아마도 어머니는 이미 오늘의 나를 알고 계셨으리라!

돌아가신 큰누님에게 감사하지 않을 수 없다. 막내인 나를 아들처럼 귀여워하고 기도해주셨던 큰누님을 생각하면 지금도 눈물이 난다. 지금 살아계셨으면 얼마나 기뻐하셨을까. 내가 가는 집회는 다 따라다니시며 중보기도로 나를 응원하셨을 터이다. 그리고 나를 위해 지금도 끊임없이 기도하고 사랑을 부어주시는 작은 누님과 큰형님께도 깊이 감사한다.

온누리교회 하용조 담임목사님께 깊은 감사를 드린다. 1995년 베이징에서 세례를 받고 귀국한 후, 하나님께서는 나의 몸과 영혼의 쉼터가 될 온누리교회로 나를 인도하셨다. 그리고 오늘 이 자리에 오기까지 하 목사님으로부터 많은 사랑과 지지를 받았다. 나는 매일 하 목사님의 건강과 사역을 중보기도의 최우선순위에 두고 기도하고 있다.

나에게 세례를 주었을 뿐 아니라 우리 아이들을 영적으로 잘 이끌어주신 베이징21세기교회 박태윤 담임목사님께 감사드린다. 나와 우리 가족 모두는 목사님의 순수함과 겸손함을 사랑한다.

분당 예수세계교회 이광섭 목사님은 내가 영적으로 성장하는 중요한 시기에 항상 올바른 방향으로 나아가도록 하나님의 말씀을 전해주신 고마운 분이다. 우리 가족들 모두를 위해서 기도로 위로하고 격려해주신 이 목사님께 깊이 감사한다.

우리 부부의 일대일 양육자인 김승곤 장로님과 문영숙 권사님 부부는 믿음의 첫걸음을 내딛는 우리를 사랑으로 이끌어주셨고, 끊임없는 중보기도로 성도의 교제와 사랑이 어떤 것인지 몸소 보여주셨다. 그 분들의 사랑에 항상 감사한다.

우리 부부의 믿음생활에 큰 전기를 맞게 해준 박정미 전도사님과 박정희 집사님 자매와의 만남을 허락하신 하나님께 감사드린다. 두 분은 중보자이며 동역자로서 중요한 고비마다 우리의 버팀목이 되어주셨다. 비록 자주 만나지는 못하지만 서로를 위해 기도하며 영적으로 깊은 교제를 나누고 있다.

베이징21세기교회의 이광자 전도사님 또한 잊을 수 없는 소중한 중보 기도자이다. 두 번에 걸친 베이징 생활 중 끊임없이 기도로, 말씀으로 우리를 권면해주신 데에 감사드린다.

베이징 온누리교회 김지연 사모도 내가 믿음의 기초를 쌓아가는 과정에서 많은 도움을 주었다. 중요한 고비마다 기도로 방향을 잡을 수 있도록 해주었던 것을 지금도 감사하게 생각한다.

아내의 오랜 친구이자 기도의 동역자로 우리 가족과 나를 위하여 눈물로 중보해준 김인숙 전도사님에게 감사한다.

또한 이 에스더님, 박초영 권사님과 은혜팀 멤버, 이스라엘 '24시간 기도의 집' 다비드 선교사님과 그곳에 계신 많은 선교사님들, 그리고 그레이스선교교회 황은혜 목사님께 감사한다.

지난 36년간 믿음 가운데 동고동락해온 이태식 전 주미대사와 1986년 가을 내 아내를 믿음의 길로 인도한 부인 이석남 집사에게 감사한다. 또한 외교통상부에서 30여 년을 함께 근무하다가 예수를 믿고 자칭 '돌아온 탕자'들로서 이제는 믿음의 동역자들이 된 온누리교회 문봉주 목사와 김광동 장로에게도 감사한다.

이 책을 내도록 하나님께서 만남을 허락하여 주신 규장 출판사의 여진구 대표, 김응국 목사님, 책이 나오기까지 누구보다도 수고를 아끼지 않은 편집부의 김아진 편집장, 최지설 팀장에게 감사한다.

또한 2003년 77세의 연세에 예수님을 구주로 영접하신 후, 불편하신 몸으로도 매일 우리를 위해 눈물의 중보기도와 찬양을 하고 계신 장모님 김을순 명예권사님께 감사드린다.

가족들에게도 고마운 마음을 전한다. 지난 30여 년 동안 아내로서, 아이들의 어머니로서, 또 믿음의 동역자로 헌신한 사랑하는 아내 배영민 권사에게 감사를 표한다. 나는 지난 36년간의 빠듯한 공무원 생활 동안 경제적인 부담은 항상 아내 혼자 지게 했고, 아이들을 키우는 데도 일이 바쁘다는 핑계로 도움을 주지 못했다. 아내는 내가 믿지 않을 때는 나의 회심을 위해, 회심한 다음에는 믿음의 뿌리를 내릴 수 있도록 끊임없이 중보했다. 나의 사역을 돕기 위해 자신의 모든 것을 희생해온 아내를 생각하면 그저 미안하고 감사해서 어떤 말로도 내 마음을 표현할 수가 없다. 그래서 부족하고 모자란 나 같은 사람에게 훌륭한 아내를 붙여주신 하나님께 매일 감사할 따름이다.

늘 일에 바빠 잘 돌봐주지도 못하고, 풍족하게도 해주지 못했지만 그런 아빠를 이해하고 사랑하며 아빠의 믿음의 여정을 본받으려는 새려, 보람, 가람 그리고 사위 한구, 며느리 자원에게도 고마움을 전한다. 그리고 사랑하는 손녀 채영과 유빈이도 우리와 같은 믿음의 길을 가기를 소망한다.

하나님의 대사

초판 1쇄 발행	2010년 1월 25일
초판 24쇄 발행	2010년 3월 19일

지은이	김하중
펴낸이	여진구
편집국장	김응국
기획·홍보	이한민
책임편집	김아진, 최지설
편집 1팀	안수경, 강민정, 손유진, 이영주
책임디자인	이혜영, 전보영, 이유아, 정해림
해외저작권	최영오
마케팅	김상순, 강성민, 허병용, 이기쁨
마케팅지원	손동성, 최영배, 최태형
제작	조영석, 정도봉
경영지원	김혜경, 김경희

이슬비전도학교	엄취선, 전우순, 최경식
303비전성경암송학교	박정숙, 이지혜, 정나영
303비전장학회 &	
303비전꿈나무장학회	어운학

펴낸곳	규장

주소 137-893 서울시 서초구 양재2동 205 규장선교센터
전화 578-0003 **팩스** 578-7332 **이메일** kyujang@kyujang.com
등록일 1978.8.14. 제1-22

책값 뒤표지에 있습니다.
ISBN 978-89-6097-150-9 03230

규 | 장 | 수 | 칙

1. 기도로 기획하고 기도로 제작한다.
2. 오직 그리스도의 성품을 사모하는 독자가 원하고 필요로 하는 책만을 출판한다.
3. 한 활자 한 문장에 온 정성을 쏟는다.
4. 성실과 정화를 생명으로 삼고 일한다.
5. 긍정적이며 적극적인 신앙과 신행일치에의 안내자의 사명을 다한다.
6. 충고와 조언을 항상 감사로 경청한다.
7. 지상목표는 문서선교에 있다.

하나님을 사랑하는 자 곧 그의 뜻대로 부르심을 입은 자들에게는 모든 것이 合力하여 善을 이루느니라 (롬 8:28)

ecpa Member of the Evangelical Christian Publishers Association

규장은 문서를 통해 복음전파와 신앙교육에 주력하는 국제적 출판사들의 협의체인 복음주의출판협회(E.C.P.A:Evangelical Christian Publishers Association)의 출판정신에 동참하는 회원(Associate Member)입니다.